D1108049

LES FEMMES NE SAVENT PAS SE GARER, LES HOMMES NE SAVENT PAS FAIRE LEUR VALISE

Geoff Rolls

Les Femmes ne savent pas se garer, les hommes ne savent pas faire leur valise

Une psychologie des stéréotypes

Marabout

CHAMBERS
An imprint of Chambers Harrap Publishers Ldt
7 Hopetoun Crescent, Edinburgh, EH7 4AY
Chambers Harrap is an Hachette Livre UK company

First published by Chambers Harrap Publishers Ldt 2009
Database right Chambers Harrap Publishers Ldt (makers)

A CIP catalogue record for this book is avaliable from the British Library.
ISBN 978 055010447 2
10 9 8 7 6 5 4 3 2 1

Editor : Carolyn Richardson
Prepress : Becky Pickard
Publishing Manager : Hazel Norris
www.chambers.co.uk
Designed by Chambers Harrap Publishers Ldt Edinburgh
Typeset in Palatino Linotype and Serifa BT by Chambers Harrap Publisher Ldt, Edinburgh
Printed and bound in Great Britain by Clays Ldt, St Ives plc

Traduction : Caroline Balma-Chaminadour

Quand un être humain a adopté une opinion, qu'il s'agisse de la sienne ou de celle des autres, il met tout en œuvre pour la justifier.

FRANCIS BACON, *NOVUM ORGANUM*, 1620.
(Burtt, 1977)

Sommaire

Introduction 11
Remerciements 21

Clichés, préjugés et autres idées reçues...
La psychologie des stéréotypes

Le petit teigneux 25
Les huîtres et le 7e ciel 33
Grands pieds donc grand zizi 37
Le chauffeur-chauffard de camionnette blanche 41
Les garçons en bleu, les filles en rose 47
L'aîné est plus intelligent 53
Dis-moi comment tu t'appelles... 57
Le gaucher est créatif 65
L'inconnu est une menace 71
Le vieux cochon 77
Les bibliothécaires sont des vieilles filles coincées
et binoclardes 79
La blonde est stupide 85
Les femmes sont émotives 91
Le chien est le meilleur ami de l'homme 97
Les supporters de foot sont des hooligans 105

Les clowns sont drôles 111
Les hommes préfèrent les blondes 115
Recherche jolie femme –
Recherche homme bonne situation 121
Le bon Samaritain 129
Le Français est gourmet, l'Écossais est radin,
l'Allemand est sérieux… 135
Le Nord, c'est sinistre 141
La femme qui a des migraines 147
Un amateur de musique classique est intelligent 151
Les gros sont paresseux 157
Les politiciens sont des menteurs 167
Le génie fou 173
Le vieux schnock 179
La rousse sulfureuse 187
Les hommes sont des obsédés de porno 193
Les gays sont volages 201
Le gardien de prison est sadique 207
Le schizophrène a une double personnalité 213
Ils ne pensent qu'au sexe 219
Belle et mince 223
Les étudiants se la coulent douce 229
Le tombeur et la traînée 237
Se faire des cheveux blancs 245
Futile comme une femme de footballeur 249
Les fous sont dangereux 253
Le sexe faible 259
La méchante belle-mère 265
Les femmes ne savent pas faire un créneau,
les hommes ne savent pas faire une valise 271

Introduction

Une pierre ou un bâton peuvent vous briser les os, mais une étiquette peut vous tuer.

Zimbardo, 2008.

Un préjugé est une opinion négative portée sur une personne ou sur un groupe précis de personnes. Nous avons tous tendance à avoir des partis pris sur les autres, soit en nous référant à notre propre expérience, soit en utilisant des stéréotypes déjà existants et tout prêts à être consommés. Ce livre parle de tous ces clichés et autres idées reçues que nous employons quotidiennement sans même nous en apercevoir. Les médias les adorent et s'en gargarisent, et l'on ne compte plus le nombre de blagues qui circulent sur tous ces thèmes. Lorsque nous cataloguons telle ou telle catégorie de personnes – par exemple, les Gallois, les Écossais, les Anglais, les Blacks, les blondes, les gros, j'en passe et des meilleures –, le stéréotype est clair.

On connaît bien les préjugés qui font référence aux religions, aux races, ou à telle ou telle ethnie. La plupart du temps, nous les désapprouvons et les condamnons en raison de leur caractère discriminatoire – qui est justement l'un des aspects du préjugé. Dans ce livre, j'ai évité de m'appesantir sur les plus connus d'entre eux pour me consacrer plutôt à ceux que nous utilisons sans réfléchir.

Le cliché est malin, il se cache souvent là où on ne l'attend pas. Dans la vie de tous les jours, par exemple. La plupart de ceux qui sont analysés dans ce livre font donc partie de notre quotidien, ils apparaissent dans toutes les conversations et sont rarement remis en question. Lorsque nous ne connaissons pas personnellement un groupe particulier de gens, ou que nous n'avons pas d'information concrète à son sujet, nous adhérons inconsciemment aux clichés qui imprègnent subtilement notre langage : *les jeunes qui traînent au coin des rues sont dangereux, les hommes politiques mentent, les retraités ont du temps à revendre*, voilà quelques-unes des idées toutes faites que la plupart d'entre nous accepte et répand sur telle ou telle catégorie de la population. C'est à partir de là que naissent les préjugés et la discrimination.

Le cliché fait tellement partie de notre paysage que nous ne nous rendons même pas compte que nous l'utilisons sans cesse et que nous le repérons rarement en tant que tel.

Nous nous pensons généralement au-dessus de cela, et pourtant nous jugeons souvent à l'avance sans même le réaliser – ainsi que le démontre cette petite devinette :

Un père conduit son fils à l'école. Sur la route, ils ont un accident de voiture. Le père meurt sur le coup, le fils qui est grièvement blessé est conduit à l'hôpital pour être opéré en urgence. Lorsque le chirurgien entre au bloc opératoire, il aperçoit le garçon allongé et inconscient et s'exclame :

– Oh mon Dieu, c'est mon fils !

Comment est-ce possible ?

Lorsque j'ai posé cette énigme à mon groupe d'étudiants en psychologie, seuls 25 % d'entre eux ont trouvé la bonne réponse : le chirurgien n'est autre que la mère du garçon. Peut-être êtes-vous étonné, comme les 75 % de ceux qui n'ont pas su répondre, que vos préjugés vous aient empêché de résoudre immédiatement l'énigme.

Le mot *stéréotype* contient tant de connotations négatives que de nombreux lecteurs seront sans doute horrifiés que j'affirme que nous en employons tous inconsciemment et allègrement sans arrêt. Voici quelques définitions en effet très négatives du mot « stéréotype » :

• Une image simplifiée et figée de tous les membres d'une même culture ou d'un groupe.

• Des idées générales sur des personnes fondées sur des informations limitées et parfois inexactes.

• Des affirmations sur des étrangers basées sur des informations incomplètes à propos de leur culture, leur race, leur religion ou leur ethnie.

• Une position ou un avis unique sur un groupe de gens sans tenir compte de la nature complexe et multidimensionnelle de l'être humain.

Les Allemands sont efficaces, les rousses sont sulfureuses... Si vous croyez que de tels stéréotypes sont vrais et peuvent s'appliquer à tous les membres d'un même groupe, c'est qu'ils sont justement à la fois inexacts et néfastes. Après tout, il existe sûrement des Allemands peu performants et des rousses timides – et tous les hommes petits ne sont pas forcément hargneux !

Les recherches sur ce sujet montrent que lorsque l'on s'interroge sérieusement, personne ne croit sincèrement que ces stéréotypes sont vrais et pourtant, il doit bien y avoir une vérité cachée derrière tous les clichés que nous véhiculons en permanence – sinon, comment naîtraient-ils ? Quels en sont les ressorts psychologiques ? Et s'ils sont si négatifs, pourquoi survivent-ils ?

L'une des principales raisons pour lesquelles les stéréotypes ont si mauvaise presse, c'est qu'ils sont négatifs : *les blondes sont bêtes, les étudiants sont paresseux*... Il en existe cependant quelques exemples positifs : *les gauchers sont créatifs, les gens croyants sont doux*...

Jusqu'à présent, la plupart des recherches psychologiques se sont surtout intéressées aux clichés négatifs et faux – en particulier quand ils étaient associés à une nationalité ou à un groupe ethnique.

Les stéréotypes ont-ils tout faux ? Pas si sûr. Ils sont parfois d'une grande aide dans notre vie quotidienne. Ce sont des petits raccourcis qui nous permettent de donner du sens aux choses. Si chacun d'entre nous devait chaque fois repartir de zéro pour essayer de comprendre la complexité de notre monde, ce serait un processus beaucoup trop long.

Et même s'ils sont erronés, ils nous ramènent parfois à la réalité. Lorsque j'aperçois un rottweiler, j'opère un détour prudent. J'ai en effet un préjugé sur les rottweilers, je suis persuadé que ce sont des chiens dangereux. C'est pour cette raison que j'ai une prévention contre eux et que j'en ai peur. Pourtant, la plupart de ces chiens sont inoffensifs mais ma connaissance limitée de cette race fait que je me réfère inconsciemment à l'opinion générale. Et c'est peut-être pour cela que je n'ai jamais été attaqué.

Qui sait ?

Certains spécialistes de la psychologie de l'évolution suggèrent que l'usage du stéréotype a donné aux hommes un avantage sur les autres animaux. Être capable de distinguer rapidement les amis des ennemis grâce à leur apparence aurait permis à notre espèce de croître et de prospérer. Mais, poussé à l'extrême, le besoin d'évaluer rapidement des étrangers pourrait conduire à la xénophobie – certains ont suggéré que cette crainte de l'étranger, ou des gens qui sont différents de nous, aurait une explication génétique. Les humains auraient été programmés pour répondre positivement à ceux qui ont le même patrimoine génétique qu'eux et négativement à ceux qui sont différents génétiquement. Tout cela n'est que pure spéculation et quoi qu'il en soit, trouver une raison pour justifier un préjugé ne rend pas celui-ci acceptable pour autant.

Le pouvoir du préjugé fut démontré lors d'une expérience devenue célèbre. Elle fut réalisée à la fin des années 1960 aux États-Unis, par Jane Elliot, institutrice dans l'Iowa (Gilmartin, 1987). Horrifiée par la vague de racisme qui avait conduit à l'assassinat de Martin Luther King, elle apporta en classe un livre prétendument écrit par un scientifique renommé. Elle affirma à ses élèves de 8 et 9 ans que ce livre décrivait les recherches visant à prouver que les gens aux yeux bleus étaient supérieurs à ceux qui avaient les yeux bruns. Alors que les enfants aux yeux bruns commençaient à se tortiller sur leurs chaises d'un air mal à l'aise, elle décerna à chacun une étiquette qu'ils devaient porter sur eux tout la journée afin que l'on puisse distinguer facilement les « yeux bruns » des « yeux bleus ». Au fur et à mesure du déroulement de la journée, le comportement des enfants se modifia. Les « yeux bleus » eurent de meilleures notes que d'habitude en mathématiques, en vocabulaire et en expression orale, et parvinrent à lire un texte accessible normalement à des enfants de deux classes au-dessus. Pendant ce temps, les « yeux bruns » obtinrent des résultats très en dessous de ce que l'on pouvait attendre à leur âge et leurs notes baissèrent significativement par rapport à la semaine précédente. Leur amour-propre avait pris une claque et, en conséquence, ils étaient devenus maussades et renfermés. Pendant ce temps, leurs camarades de classe « yeux bleus » se délectaient de leur toute nouvelle supériorité et se montraient de plus en plus enthousiastes d'apprendre. Ils commençaient à manifester également une attitude ouvertement méprisante à l'égard des « yeux bruns » qualifiés par eux d'« inférieurs. »

Le jour suivant, l'institutrice leur expliqua qu'elle s'était malheureusement complètement trompée. En fait, ajouta-t-elle, les recherches prouvaient que les enfants aux yeux bruns étaient supérieurs ! Elle s'aperçut rapidement que les résultats et les comportements des deux groupes s'inversèrent complètement.

Si l'institutrice avait expliqué aux enfants que l'on pouvait être jugé d'après la couleur des yeux, elle ne leur avait pas dit en revanche que cela leur donnait le droit d'oppresser le groupe inférieur. Il semble qu'ils l'aient fait instinctivement, de façon innée. Il est ainsi apparu que lorsque les enfants sont catalogués, ils adaptent leur comportement en fonction du groupe dans lequel ils se trouvent et sont considérés par les autres en fonction de l'étiquette qu'on leur a attribuée.

Voici une autre étude célèbre démontrant la force du stéréotype et des préjugés sur les enfants (Muzafer Sherif *et al.*,

1961). Des garçons d'une colonie de vacances américaine furent répartis au sein de deux équipes : les Serpents à sonnette et les Aigles. Les deux équipes participèrent à toute une série de jeux et de compétitions qui dégénérèrent souvent en bagarres. Très rapidement, chaque groupe attribua à l'autre des défauts et traits de caractère stéréotypés, par exemple *Tous les Serpents à sonnette sont des tricheurs*, ou bien *Tous les Aigles sont nuls en sport.* Cette étude illustra la rapidité avec laquelle les personnes s'identifient à leur propre groupe au détriment d'un autre.

Il arrive que mettre les gens dans des cases ait des effets psychologiques positifs, mais généralement, les conséquences sont surtout négatives. Cataloguer sert à faire la distinction entre ceux qui font partie du « cercle fermé », dans lequel on s'inclut, et ceux qui en sont exclus, ceux qui ne font pas partie des heureux élus. Lorsque l'on se détermine comme appartenant à un groupe social, on considère que l'on fait partie d'un cercle ouvert à certains et fermé à d'autres, ce qui peut conduire à adopter un comportement de dénigrement vis-à-vis des exclus. Les gens qui ont une forte tendance à s'identifier à un groupe en particulier, ont plus de chances de développer des préjugés contre ceux qui n'en font pas partie. Ils sont souvent persuadés que leur cercle est composé de nombreuses personnalités différentes alors que ceux qui sont à l'extérieur se ressemblent tous : *tous les Russes sont des espions, tous les comptables sont ennuyeux, tous les jeunes qui portent des capuches sont dangereux...* C'est ce que l'on appelle un effet de globalisation et de partialité vis-à-vis de ceux qui ne font pas partie du groupe ; c'est un exemple classique de préjugé.

Une fois ce processus mis en place, il est très difficile de s'en défaire. Pourtant, selon certaines hypothèses, développer des contacts entre différents groupes permettrait d'assouplir les tensions et de réduire les préjugés. Lorsque les gens d'un cercle fermé commencent à se familiariser avec les différents usages, coutumes et habitudes des membres d'autres cercles, ils commencent en effet à en voir et à en apprécier la diversité.

Peut-être que l'une des raisons pour lesquelles les stéréotypes ont la vie dure, c'est qu'ils nous semblent parfois tellement évidents au quotidien que nous ne les discutons même pas. Prenons l'exemple d'une conductrice qui a une telle conscience du fameux cliché de la femme au volant qu'elle se met à conduire en dépit du bon sens dès lors qu'un homme monte dans sa voiture. C'est le si bien nommé « préjugé de la menace » (Steele et Aronson, 1995) qui se produit lorsqu'une personne a tellement peur que l'idée préconçue ne se vérifie, qu'elle fait même pire et le confirme donc par voie de conséquence.

Sous l'influence d'un préjugé, on peut faire pire, mais on peut aussi faire mieux.

Prenons par exemple un groupe d'hommes conducteurs (le cercle fermé). Si on prend soin de leur rappeler avant l'expérience qu'ils sont habituellement considérés comme de meilleurs conducteurs que les femmes (le groupe dénigré), on s'aperçoit qu'ils améliorent encore leurs performances au volant. C'est le cas du préjugé négatif porté sur les compétences d'un groupe dont un autre va se servir pour améliorer les siennes. C'est ce qu'on appelle le « préjugé ascenseur » : c'est le préjugé lui-même qui affecte le comportement, quelle que soit la compétence.

D'après les études sur le sujet, lors de tests d'évaluation, il semble que de nombreuses personnes établissent un lien entre différents stéréotypes négatifs d'une façon plus ou moins inconsciente (Walton et Cohen, 2003).

Les Femmes ne savent pas se garer, les hommes ne savent pas faire leur valise n'est pas une analyse scientifique détaillée sur les préjugés et les stéréotypes : des gens beaucoup plus qualifiés que moi ont écrit sur la question.

Pour ma part, je pense que, compte tenu de l'usage considérable que nous en faisons tous, le stéréotype mérite un peu de considération au lieu d'être rejeté d'emblée. Améliorer notre compréhension de ces idées préconçues que nous avons tous, peut nous aider à mieux apprécier dans toute leur diversité tous ces groupes que nous avons tendance à cataloguer sans réfléchir. Enquêter sur une sélection de clichés et mettre en lumière ce qu'ils ont de juste et d'inexact peut se révéler très enrichissant. En tant que psychologue conférencier, je suis tout à fait conscient des risques qu'il y a à lancer une discussion sur le thème de la différence, mais ne pas en parler serait tout aussi dangereux. Prendre conscience du nombre des idées reçues que nous véhiculons doit nous conduire à nous poser des questions et peut nous permettre d'ouvrir les yeux sur le fait qu'un groupe soi-disant stéréotypé n'est pas une masse homogène, mais qu'il est composé d'individus tous différents. Nous pouvons continuer à utiliser les stéréotypes qui nous aident dans notre vie de tous les jours, à condition que, dans le même temps, nous examinions, discutions, débattions et nous interrogions sur leur influence. Mon plus grand espoir est qu'en prenant le temps chaque jour d'en examiner quelques-uns, nous comprenions mieux certains des groupes dont je dresse le portrait dans cet ouvrage. Posez-vous la question, interrogez-vous sur vos propres préjugés en gardant en tête que chacun d'entre eux peut déboucher sur l'exclusion et la discrimination. Regardez l'individu et pas l'étiquette et je suis sûr que vous découvrirez de nombreuses surprises dissimulées dans la jungle des préjugés.

Geoff Rolls.
Winchester, 2008

Remerciements

Je tiens d'abord à remercier ma femme, Eve, qui a joué un rôle essentiel dans l'écriture de ce livre. Ses conseils m'ont été précieux à chaque étape de son élaboration.

Lorsque j'ai proposé mon manuscrit à Chambers, j'ai eu la chance qu'il atterrisse sur le bureau de Camilla Rockwood, car elle m'avait déjà été d'une grande aide lors de la rédaction de mon précédent livre (*Taking the proverbial : The psychology of proverbs and sayings*), bien qu'elle n'ait pas pu mener celui-ci à terme pour cause de maternité.

Néanmoins, grâce à sa participation, *ce premier ouvrage* fut un succès et c'est désormais Hazel Norris qui a repris le flambeau. Hazel a été extraordinaire, elle m'a offert son soutien tout en me laissant la plus grande liberté pour écrire. C'est rare pour un auteur d'être à ce point en accord avec les décisions prises par son éditeur et ce fut le cas ici. Il est toujours plus facile de travailler quand on sait que l'on a un bon soutien éditorial et, en la personne de Carolyn Richardson, j'ai disposé de la meilleure éditrice freelance.

Je suis aussi très reconnaissant à Patrick White de Chambers qui a pris la décision de publier ce livre. Merci aussi à ceux qui ont accepté de discuter de cet ouvrage avec moi, Richard Gross, Jonathan Smith, Rick Godwin, Dermot

Murphy, Dean Phillips, Ash Jones et mes collègues du Peter Symonds College. J'ai été impressionné par leur soutien et enchanté de leurs encouragements. Mes amies Vanessa Byrne et Lynn Jones méritent une mention spéciale pour l'accueil enthousiaste qu'elles ont réservé à mon précédent ouvrage, elles ont mené une vraie campagne de publicité dans le village où je vis.

Merci à tous.

Clichés, préjugés et autres idées reçues...

Une psychologie des stéréotypes

Le petit teigneux

Napoléon et Hitler, Goebbels et Staline étaient tous des nabots agressifs !

Nous sommes nombreux à être convaincus que les hommes petits ont développé dans leur enfance un complexe d'infériorité et qu'ils sont souvent aigris et revanchards parce qu'ils n'ont jamais digéré le fait qu'ils auraient toute leur vie une taille plus petite que la moyenne. Pour la majorité des gens, ces quatre noms sortis de l'Histoire en sont la preuve indiscutable : ces hommes ne se sentaient pas à la hauteur, ils ont donc cherché à s'affirmer à travers des actes agressifs.

Le « complexe de Napoléon », fut un terme inventé par le psychologue Alfred Adler (1870-1937), pour décrire ce sentiment d'infériorité qu'éprouveraient les hommes de petite taille. Ils en souffriraient tant qu'ils ressentiraient le besoin de compenser dans d'autres domaines. Sauf que Napoléon n'était pas si petit que cela puisqu'il mesurait 1,70 m, ce qui était tout à fait correct pour un homme de cette époque. Alors comment cette légende est-elle née ? Sans doute parce que effectivement, il faisait nabot à côté des soldats de la Garde impériale qui eux étaient choisis pour leur stature exceptionnelle.

Et voilà comment naissent les légendes et les préjugés. Toutes les recherches sérieuses menées sur le sujet prouvent en effet que le « syndrome de l'homme petit » n'existe pas.

Néanmoins, le stéréotype persiste.

Malgré tous les progrès de la chirurgie esthétique et tous les artifices dont nous disposons pour améliorer notre apparence et nous rendre plus séduisants, il reste un domaine dans lequel la science ne peut pas grand-chose : notre taille. Pour certains, cela frise même l'obsession. Il n'y a qu'à voir la fascination du public pour la taille de l'acteur Tom Cruise, qui mesure 1,70 m.

Y a-t-il tant d'avantages à être grand ? Il semblerait que oui. D'après de nombreuses études, les grands gagneraient plus d'argent – il suffit de voir le salaire des basketteurs américains, mais cela se vérifie même dans le monde « réel » – : quelques centimètres de plus représenteraient en moyenne 550 € de plus par an (Heineck, 2004). Sur ce point, les femmes de grande taille sont aussi mieux loties que les petits modèles, cela a même été confirmé dans le cas de deux jumelles. Dans cette étude, celle qui était plus grande que l'autre gagnait davantage.

Sur quel ressort psychologique cela repose-t-il ? Y a-t-il une explication logique ? Est-ce que le fait d'être plus grand renforce la confiance en soi, ou bien le succès des grands est-il dû à la considération que nous leur manifestons inconsciemment ?

Un groupe d'économistes des universités de Pennsylvanie et du Michigan ont découvert que les hommes adultes de grande taille, mais qui étaient petits lorsqu'ils étaient au lycée, gagnaient le même salaire que les hommes adultes de petite taille. Par contre, les hommes adultes de petite taille, qui à l'époque du lycée étaient plus grands que leurs camarades de classe, avaient des salaires identiques à ceux des hommes de grande taille (Persico *et al.*, 2003).

Cela tendrait à prouver que le critère de la taille adulte n'entrerait pas en ligne de compte pour expliquer le niveau de salaire. Il faudrait plutôt remonter à l'enfance et à l'adolescence, c'est-à-dire à la période où se sont construits estime de soi et amour-propre, pour expliquer que les ados les plus grands de leurs classes sont devenus des adultes sûrs d'eux et couronnés de succès. La conclusion de ce groupe de chercheurs fut que les lycéens de grande taille se voyaient eux-mêmes comme les leaders de leurs classes. Ils rencontraient également beaucoup de réussite dans leurs activités extrascolaires. Comme le succès appelle le succès, celui-ci se poursuivait lorsqu'ils entamaient une carrière professionnelle et malgré le fait que leurs condisciples avaient grandi à leur tour et pour certains avaient atteint leur taille, on relevait toujours une nette différence de salaire.

Anne Case et Christina Paxson, deux économistes du Centre pour la santé et le bien-être de l'université de Princeton, vont encore plus loin. La conclusion de leur étude parue en 2006, est nette et sans appel : « En moyenne, les gens de grande taille gagnent plus parce qu'ils sont plus intelligents. »

Leurs recherches, fondées sur des données anglaises et américaines, confirment d'autres études sur le sujet. Elles démontrent que les hommes et les femmes de grande taille gagnent 10 % de plus que leurs collègues occupant le même job mais mesurant 12 cm de moins. De plus, des graphiques réalisés d'après des rapports de recensement suggèrent que les hommes américains mesurant 1,90 m ont 3 % de chances en plus de parvenir à un poste de direction que les hommes mesurant 1,55 m.

À quoi tiennent les choses !

En tout cas, encore une fois, l'origine se situerait à l'époque du collège et du lycée et dans la position sociale acquise par ces personnes grâce à leur assurance et à la confiance qu'ils avaient en eux et en leurs capacités lorsqu'ils étaient ados. Un enfant qui a une forte poussée de croissance dans les premières années de son adolescence a plus de chances de se sentir bien dans sa peau et sûr de lui et a plus de capacité de compréhension, d'expression et de réflexion qu'un enfant qui a une croissance tardive ou moins importante et qui reste longtemps le plus petit de sa classe.

Il y a même des études qui tendraient à prouver que tout commence beaucoup plus tôt, avant même l'âge scolaire. À partir de 3 ans, un enfant plus grand que ses copains de crèche serait plus performant qu'eux et réussirait mieux les tests cognitifs.

D'où cette conclusion :

> Les enfants grands ont plus de chance de devenir des adultes grands. Une fois adultes, ces derniers auront plus de chances d'obtenir un poste élevé requérant des qualités d'intelligence, d'expression orale, de savoir-faire et de talent qui leur vaudront en retour un salaire confortable. En outre, notre étude démontre que les adultes de grande taille choisissent des professions qui requièrent des capacités intellectuelles supérieures plutôt que des capacités physiques.
>
> Case et Paxson, 2006.

La taille comme le langage, la perception et le raisonnement sont influencés par le facteur le plus évident et le plus contrôlable qui soit : l'alimentation. Il se pourrait que des soins particulièrement attentifs dans la petite enfance, y compris pendant la période prénatale, augmentent à la fois la taille et les capacités intellectuelles. Mais à part une alimentation saine et équilibrée, nous avons peu de moyens d'action.

À force de répéter que les grands sont en meilleure santé et plus heureux – et même, d'après certains, plus intelligents –, des parents américains en sont venus à demander à leur médecin de faire des injections d'hormones de croissance à leurs enfants.

Une analyse comparative entre le coût et les bénéfices montre que ce traitement hors de prix serait largement remboursé par l'augmentation de salaires qui en découlerait (Persico *et al.*, 2003).

Bientôt, les injections d'hormones de croissance seront considérées comme une intervention courante et deviendront aussi banales que les traitements au Botox®.

Mais si tout le monde se met à grandir pour devenir le meilleur, où cela s'arrêtera-t-il ? Il faudra surélever les plafonds et la hauteur des bars !

La taille d'un individu n'a pas seulement une influence sur son salaire, elle en a aussi sur sa capacité à prendre le leadership. Dans la mesure où les fonctions de direction sont souvent les mieux rémunérées, les deux choses sont évidemment liées. On ne compte plus le nombre de livres ou d'articles de journaux soutenant qu'aux États-Unis, c'est le candidat le plus grand qui gagne toujours l'élection présidentielle. Ce n'est pourtant pas toujours vrai, bien qu'en remontant jusqu'en 1928, on s'aperçoive qu'à seulement quatre occasions, c'est le plus petit candidat qui l'a emporté : 4 sur 21, tout de même. Il s'agit de Richard Nixon en 1972, de Jimmy Carter en 1976 et de George W. Bush en 2000 et 2004. Mais, probablement parce que les hommes politiques sont parfaitement conscients de l'importance capitale de la taille du président et de son influence sur la victoire finale, on peut supposer que bon nombre d'entre eux ont exagéré leurs mensurations. Il aurait été intéressant de jeter un coup d'œil dans leur dressing pour vérifier la hauteur des talons de leurs chaussures...

En tout cas, la victoire de Barack Obama en 2008 n'a surpris aucun des commentateurs attachés à ce critère de la taille. Il faut dire qu'avec son 1,70 m, le pauvre John McCain n'avait aucune chance face au 1,85 m d'Obama.

Les hommes les plus grands seraient plus séduisants et par voie de conséquence, auraient plus de chances d'avoir des enfants (Nettle, Open University, 2002). Une étude basée sur 10 000 personnes nées aux États-Unis lors de la même semaine de mars 1958 révèle qu'à cette époque, un homme de 1,82 m avait plus de chance de devenir père qu'un homme de 1,55 m. D'un autre côté, les femmes qui avaient plus de chance de se marier et d'avoir des enfants étaient celles qui mesuraient moins de 1,61 m.

La taille semble donc être un atout pour un homme pour de multiples raisons. Mais qu'en est-il du stéréotype selon lequel les petits sont plus agressifs que les grands ? Le Groupe de recherche sur l'agressivité de l'université du Lancashire Central, dirigé par Mike Eslea et Dominique Ritter, a conduit une fascinante expérience sur ce sujet (Eslea et Ritter, 2007).

Dix hommes mesurant moins de 1,67 m et dix autres plus grands ont participé à cette étude qui testait leurs capacités physiques – telles que la coordination entre le geste et le regard ou bien le temps de réaction par rapport à une consigne – ; c'est du moins ce qu'ils croyaient. En réalité, ils participaient sans le savoir à un jeu destiné à tester leur agressivité. On les fit asseoir d'abord deux par deux et on les connecta à des moniteurs cardiaques. On les invita ensuite à jouer à chopsticks (un jeu de baguettes en bois comme le mikado). Ce jeu consiste à prendre le plus de baguettes en bois à son adversaire et le plus vite possible tout en protégeant les siennes. Dans la pratique, cela ressemble à un véritable combat à l'épée. Les organisateurs du jeu avaient demandé à l'un des deux adversaires, à l'insu de l'autre, de donner délibérément un bon coup de baguette sur les doigts de son vis-à-vis. La réaction à cette provocation était aussitôt enregistrée et mesurée par les observateurs. Les résultats démontrèrent que les participants de petite taille étaient moins agressifs que les plus grands, réfutant par conséquent le fameux stéréotype de Napoléon. Mike Eslea en conclut que les hommes de petite taille n'étaient pas plus hargneux, en fait c'était même plutôt l'inverse.

Quoi qu'il en soit, quand les gens voient un homme petit s'énerver, ils mettent aussitôt cela sur le compte de sa taille car c'est le signe distinctif le plus évident, alors que les causes profondes de son agressivité peuvent avoir une tout autre origine.

Nous pouvons conclure sans risque que l'existence du « syndrome de l'homme petit » à partir duquel les hommes de petite taille sont catalogués comme des teigneux, n'est pas confirmé par la recherche scientifique.

Souvenez-vous que Gandhi mesurait seulement 1,61m et on ne peut pas trouver quelqu'un de moins agressif que lui.

Pour chaque Hitler, il y a un Saddam Hussein (1,89 m), pour chaque Napoléon, il y a un Idi Amin (1,95 m) et pour chaque Staline, il y a un Ousama ben Laden (1,95 m) ; tous ces hommes de grande taille ont démontré qu'ils avaient de fortes tendances agressives.

Pensez à tous ces petits et adorables Ronnie Corbett, Mickey Rooney et Ernie Wise, que l'on pourrait difficilement qualifier de tyrans.

Les hommes de petite taille ont souvent l'impression que tout joue contre eux. Ils ont beaucoup d'obstacles à franchir dans la vie, ce qui, de leur point de vue, n'est pas peu dire. En réalité, ils ne sont pas plus agressifs que leurs contemporains de haute stature.

Il est grand temps de leur lâcher les baskets avec ce mythe du petit teigneux. Faisons-leur plutôt la courte échelle pour qu'ils grimpent plus haut dans leur carrière.

LES HUÎTRES ET LE 7^E CIEL

On dit que les huîtres sont aphrodisiaques mais j'en doute. L'autre soir, j'en ai mangé une douzaine, pourtant cela n'a marché que dix fois.

Cette blague est l'une de mes préférées. Elle illustre une des croyances populaires les plus fortes : les huîtres figurent en effet en haut du top 10 des produits aphrodisiaques qu'il faudrait consommer de préférence en compagnie de l'objet de ses désirs… Les Anglais – bien qu'ils ne soient pas réputés pour être les meilleurs amants du monde, et peut-être est-ce justement à cause de cela – ont une longue histoire d'amour avec les huîtres. Une passion qui ne date pas d'hier puisque le chroniqueur Samuel Pepys (1633-1703) a longuement raconté son goût pour les huîtres, crues ou cuites. Comment des petites créatures aussi bizarres auraient-elles le pouvoir de nous chatouiller aussi agréablement ?

Giacomo Casanova, dont la vie amoureuse fut des plus mouvementée, s'en fit largement l'écho dans des Mémoires bien plus corsés que ceux de Pepys. On peut même dire que Casanova fut l'un des amateurs d'huîtres les plus enthousiastes de tous les temps. On raconte qu'il en mangeait une soixantaine par jour et que c'est grâce à cela qu'il eut une vie amoureuse d'une telle longévité avec un total de 122 maîtresses.

Cela prouve en tout cas une chose, c'est qu'il aimait apparemment autant les femmes que les huîtres.

> J'ai posé l'huître sur le bord de ses lèvres entrouvertes. Elle s'est mise à rire puis elle l'a aspirée, ensuite elle l'a repoussée entre ses lèvres, j'ai aussitôt couvert sa bouche de baisers.
>
> Mémoires de Casanova, 1894.

Le mot aphrodisiaque vient d'Aphrodite, la déesse grecque de l'amour, du désir et de la beauté qui était connue chez les Romains sous le nom de Vénus. Elle aussi aimait beaucoup les huîtres puisque, selon la légende, elle serait sortie de ce coquillage le jour de sa naissance. Il me semble pourtant que dans le célèbre tableau de Sandro Boticelli (1445-1510), *La Naissance de Vénus*, la déesse sort plutôt d'une coquille Saint-Jacques. Quoi qu'il en soit, Aphrodite donna naissance à Éros, qui dans la mythologie romaine a pour nom Cupidon.

Comment un aussi humble coquillage peut-il avoir une réputation aussi flatteuse ? Ses qualités aphrodisiaques viendraient simplement de son aspect – et il est vrai qu'en l'observant de près, on s'aperçoit qu'une huître ressemble aux organes génitaux féminins. Le désir prend souvent sa source dans l'imagination et quelles que soient ses propriétés, que celles-ci soient réelles ou fantasmées, on peut admettre que la simple vue d'une huître puisse avoir un pouvoir excitant sur certains. Cela dit, la vraie question est de savoir si les aphrodisiaques existent tout simplement. Reconnaissons que la plupart du temps, il suffit d'y croire pour que ça marche, c'est ce qu'on appelle l'effet placebo. La corne de rhinocéros ou encore l'extrait d'hypophyse de singe, pourraient avoir un effet excitant pour peu que leurs utilisateurs en soient persuadés. Et notre fameuse huître, alors, existe-t-il des preuves tangibles de ses pouvoirs spéciaux ? En tout cas, un nombre impressionnant de scientifiques en vantent les qualités nutritionnelles. Il est vrai qu'elle est riche en zinc, un minéral qui contribue à équilibrer le taux de progestérone et à améliorer la fertilité. Un déficit en zinc, au contraire, peut provoquer impuissance et baisse de la libido. Il faut savoir, en outre, que le sperme contient du zinc et qu'un homme perd entre 1 et 3 milligrammes de zinc à chaque éjaculation. Pour un amant très actif comme Casanova, une surconsommation d'huîtres aurait pu être la parade idéale à un déficit en zinc.

Par ailleurs, on sait que les huîtres renforcent l'immunité et permettent de mieux résister aux maladies comme le rhume et la grippe ; de plus, elles jouent un rôle actif dans la croissance et nous aident à conserver un esprit vif. *The American Journal of Clinical Nutrition* estime que la plupart des adultes ne consomment que la moitié de la dose de zinc quotidienne recommandée qui est de 15 milligrammes. Une seule huître par jour nous apporterait quasiment 100 % de nos besoins journaliers. Ces mollusques contiennent également des omégas 3, les acides gras essentiels réputés pour prévenir les maladies cardiovasculaires.

Grâce à la chromatographie liquide sous pression, Georg Fisher, du département de chimie de l'université Barry à Miami, a prouvé que les huîtres contenaient également des acides aminés rares – l'acide aspartique (D-Asp) et du N-Methyl-D-Aspartate (NMDA) qui est un dérivé d'acide aminé – qui augmentent le taux d'hormones sexuelles

(Mirza *et al.*, 2005). Des scientifiques du laboratoire de neurobiologie de Naples ont par ailleurs découvert qu'en injectant des acides aminés à des rats, on provoquait une augmentation de production de testostérone chez les mâles et de progestérone chez les femelles. Et les huîtres crues sont particulièrement riches en acides aminés. Malheureusement, Robert Shmerling, de la Harvard Medical School (Shmerling, 2005), rejette l'évidence de ces découvertes et se demande si D-Asp et NMDA ont le même effet sur les humains. « Pour établir un lien entre la libido humaine et les coquillages et crustacés, il faudrait un peu plus d'arguments irréfutables. »

Je crois que ma femme m'a déjà inscrit sur la liste des prochains essais…

Une petite mise en garde pour terminer.

On dit qu'il ne faut consommer les huîtres que les mois en « r » – de septembre à avril –, tout simplement parce qu'elles peuvent être porteuses de la bactérie *Vibrio vulnificus* (qui peut provoquer fièvre et douleurs musculaires chez les personnes fragiles), qui se développe davantage pendant les mois chauds.

Et une intoxication alimentaire due à des coquillages ne stimulera pas votre libido, zinc ou non…

Lire aussi : Les hommes sont des obsédés de porno ; Ils ne pensent qu'au sexe.

Grands pieds donc grand zizi

De tout temps et dans de nombreuses cultures, les hommes ont mesuré leur puissance et leur virilité à la longueur de leur sexe. Voilà pourquoi l'une de leurs grandes angoisses existentielles est de savoir si leur précieux organe soutient la comparaison avec celui des autres hommes, interrogation qui ne laisse pas, du reste, d'intriguer leurs partenaires féminines. Étant donné l'incroyable fascination générale que ce sujet suscite, l'hypothèse selon laquelle on pourrait prédire la taille du pénis, sans même voir celui-ci, est si séduisante que beaucoup sont prêts à le croire.

Un des clichés les plus courants circulant sur la question prétend que certaines parties du corps, et en particulier les pieds, donneraient une indication sur la taille du zizi (McCary, 1971).

Et puisque j'ai de grands pieds, je serais ravi de démontrer le bien-fondé de cette théorie !

Pourtant, aucune des études menées sur la question n'apporte de preuve probante.

Siminoski et Bain (1993) ont trouvé une relation assez faible entre la taille d'un homme, la longueur de son pénis et sa pointure. Une autre étude, menée en 2002 sur 3 100 hommes, a également tenté en vain d'établir un lien entre la pointure des chaussures et la taille du pénis en érection (Edwards, 2002). Cela dit, comme les participants fournissaient eux-mêmes leurs propres mensurations, ces résultats sont peu fiables. La seule expérience qui fasse autorité est celle menée par deux urologues exerçant dans des hôpitaux londoniens. Ils ont mesuré eux-mêmes les organes vitaux de 104 hommes faisant partie de leur clientèle (Shah et Christopher, 2002). Bien que la longueur d'un pénis ne puisse être vraiment mesurée que lorsque celui-ci est en érection, devant les difficultés pratiques évidentes que cela posait, et comme les études antérieures avaient confirmé que la longueur du sexe au repos donnait une bonne estimation de sa taille en érection (Wessels *et al.*, 1996), ils ont décidé que s'en tenir à cela pour commencer.

Comme tous les hommes le savent et en particulier les Anglais qui pratiquent la natation dans les eaux territoriales britanniques réputées pour leur fraîcheur, la taille du pénis dépend de nombreux facteurs, et essentiellement de la température extérieure. Voilà pourquoi, afin de minimiser les variations causées par la chaleur ou le froid, nos chercheurs ont pris leurs mesures à peine ces messieurs déshabillés.

Pour ceux d'entre vous qui sont particulièrement curieux, sachez que l'échelle allait de 6 cm à 18 cm, la moyenne s'établissant à 13 cm.

La corrélation entre la taille du zizi et la pointure des pieds apparut insignifiante, laissant entendre qu'il n'y a pas de lien entre les deux mesures.

Les chercheurs en ont conclu que « la possibilité de prédire la taille du sexe d'un homme en partant de l'observation de la pointure de ses chaussures est une opinion commune mais erronée car aucune donnée scientifique ne la vérifie ».

Quant à ceux qui penchent pour un lien entre la longueur du nez – ou des mains ou des doigts ou des oreilles, que sais-je ? –, Jyoti Shah, l'un de nos deux urologues londoniens, a promis des recherches ultérieures sur ce délicat problème.

Il paraît que l'on apprend beaucoup d'un homme en observant sa tenue vestimentaire ; désolé que la pointure de ses chaussures ne puisse pas vous renseigner autant que vous l'auriez souhaité.

En tout cas, c'est une bonne nouvelle pour ceux qui chaussent du 40 !

Le chauffeur-chauffard de camionnette blanche

Vous roulez sur une petite route, vous conduisez prudemment juste en dessous de la vitesse autorisée et vous jetez régulièrement un coup d'œil dans votre rétroviseur lorsque soudain, sortie de nulle part, surgit une camionnette blanche qui se rapproche dangereusement à toute allure et vous colle au pare-chocs. À la première occasion, elle accélère et vous double en faisant rugir son moteur avant de disparaître au loin. C'est le stéréotype du conducteur de camionnette blanche, agressif, rustre et grossier. Un conducteur qui se croit seul au monde, méprise les autres usagers de la route et qui, pour aller jusqu'au bout du cliché habituel, serait un homme, de race blanche et portant des tatouages – mais ceci est difficile à confirmer, il va si vite qu'on n'a pas pu le vérifier !

Cette expression *chauffeur de camionnette blanche* a été employée pour la première fois par la présentatrice de radio Sarah Kennedy sur BBC Radio 2 en 1997. Bien que ce terme soit également utilisé d'une façon non péjorative pour désigner Monsieur Tout-le-Monde, il est surtout répandu en Grande-Bretagne pour désigner les chauffeurs livreurs agressifs ou indélicats. La couleur du véhicule est le plus souvent le blanc car cela permet d'apposer logos et autres autocollants ; néanmoins, il ne porte parfois aucune inscription, ce qui le rend encore moins identifiable.

Ce que l'on sait du chauffeur de camionnette blanche, c'est qu'il peut être maçon, coursier, commerçant, électricien, plombier ou homme à tout faire, il est en général son propre patron ou travaille au sein d'une petite entreprise. Et tout le monde le prend pour un chauffard mal élevé.

Mais est-ce justifié ?

Tous les conducteurs de camionnette blanche méritent-ils d'être catalogués comme de mauvais conducteurs ?

Comme cette espèce est relativement récente, peu d'études existent sur le sujet. Toutefois, il faut souligner les recherches à la fois courageuses et innovantes menées sur la question par le psychologue Ian Walker de l'université de Bath (Walker, 2006). Courageuses, parce que Ian Walker n'a pas hésité à payer lui-même de sa personne ; il a en effet enfourché son vélo, équipé au préalable d'un capteur à ultrasons, afin de mesurer si les véhicules le doublant sur la route respectaient la distance de sécurité. Pendant l'année 2006, il a sillonné ainsi toutes les routes entre Bristol et Salisbury et a enregistré 2 500 incidents de dépassement. Le Code de la route anglais recommande à tous les automobilistes de respecter de larges distances de sécurité en cas de dépassement d'une moto, d'un vélo ou d'un cavalier, en fait autant d'espace que s'il s'agissait d'une voiture. Ian Walker a pu constater que les chauffeurs de camionnettes blanches ignoraient cette recommandation bien plus que les autres conducteurs. Quand ils le doublaient, ils étaient plus proches de 10 cm de son vélo que tous les autres véhicules de couleur. Walker en a conclu que des facteurs sociaux pouvaient expliquer ce type de comportement, comme une attitude machiste, la contrainte de délais à respecter et le sentiment d'être anonyme au volant d'une camionnette ne portant aucune marque distinctive.

Une autre étude a été menée par le Centre de recherche sur les problèmes sociaux (SIRC, 1998, 2003), dont les chercheurs intrépides, à l'instar de leur collègue Ian Walker, se sont aussi lancés sur les routes mais cette fois en montant eux-mêmes à bord de la fameuse camionnette blanche. Ils se sont délibérément arrêtés aux stations-service, dans les zones industrielles, sur les bas-côtés et sur les aires de repos, autant de lieux où l'on rencontre souvent des chauffeurs, des livreurs et autres artisans. Leur but était d'interroger ces derniers sur leurs habitudes de conduite. Les résultats obtenus montrent que 96 % des chauffeurs de camionnettes blanches sont des hommes, leur âge moyen est de 37 ans, ils sont mariés dans 60 % des cas. Si on a souvent l'impression que le conducteur de camionnette blanche se comporte sur la route comme si celle-ci lui appartenait, c'est peut-être parce qu'il se déplace en général dans un court rayon autour de chez lui – ce fut vérifié dans 75 % des cas – et c'est ce qui a sans doute développé en lui un sentiment de propriété.

Le conducteur de camionnette blanche écoute en général la radio locale et lit les tabloïds que l'on trouve soigneusement pliés sur le tableau de bord. Étranger à toute notion de diététique, il prend ses repas dans des restaurants pour routiers ou adopte volontiers l'option sandwich, chips et Coca, achetés en passant dans une station-service. Il occupe son temps libre en jouant au foot et il s'intéresse aux activités qui offrent un net contraste avec son job. Il ne fréquente pas beaucoup les bars mais préfère rester chez lui pour regarder la télévision et dans la majorité des cas, il possède une parabole. Une vie qui paraît assez banale, en somme. Toutefois, rassurez-vous, le conducteur de camionnette blanche passe en général de bonnes vacances : la Grèce, Chypre, l'Espagne ou Malte sont ses destinations préférées, on l'a même vu assez souvent descendre le Nil, évidemment pas à bord d'une camionnette blanche ! Et beaucoup plus coquin, il avoue que sa fameuse camionnette a déjà abrité des amours… passagères.

Comment se voit-il lui-même ? 50 % de ceux qui ont été interrogés lors de cette enquête jugent le stéréotype plutôt juste pour les autres chauffeurs de camionnette blanche, mais ils ne se reconnaissent absolument pas eux-mêmes dans cette description. Néanmoins, 10 % d'entre eux ont admis les violations du Code de la route mais, selon eux, leur vitesse excessive et les dépassements sauvages font partie intégrante de leur job. Ils ont conclu, un rien provocateurs, qu'ayant rarement été impliqués dans un accident, ils conduiraient manifestement mieux que les autres.

Parmi tous les hommes interrogés, 30 % ont tout de même rejeté catégoriquement le stéréotype, se plaignant d'une généralisation – on les mettrait tous dans le même panier – ou d'un *a priori* contre eux – les gens s'attendraient à ce qu'ils se montrent agressifs. Certains considèrent que les autres véhicules leur font de l'obstruction délibérément. Enfin, de nombreux conducteurs de camionnette blanche pensent qu'ils intimident les autres usagers parce qu'ils se trouvent en hauteur par rapport à eux.

N'accablons pas trop ces pauvres chauffeurs de camionnette blanche qui ont aussi des qualités.

Ils sont appliqués, courageux et travailleurs et, avec un revenu annuel moyen de 23 000 € par an, rapportent plus de 38 milliards d'euros à l'économie anglaise chaque année.

Ils sont aussi les chouchous des ambulanciers et autres services d'urgence, qui leur sont reconnaissants de réagir plus vite que les autres conducteurs et de se garer sur le bas-côté afin de leur laisser la voie libre (enquête Automobile Association, 2007).

Et si nous étions injustes avec eux ? Si nous leur faisions tout simplement payer notre agacement devant les problèmes de circulation que nous supportons quotidiennement ? S'il nous fallait simplement un bouc émissaire ?

Là où j'habite, c'est plutôt le conducteur de caravane beige qui nous pose un problème chaque été. Et franchement, c'est pire !

Les garçons en bleu, les filles en rose

D'accord, je l'avoue, je n'ai jamais été assez courageux pour porter du rose. Si j'étais marin ou golfeur, peut-être qu'un pull à rayures pastel aurait pu trouver sa place dans mon dressing. Mais je ne golfe ni ne navigue et je m'habille essentiellement en bleu ou en noir.

Le cliché du bleu et du rose se met en place dès le berceau. J'ai une fille et un fils et, comme nous sommes de bons psychologues, ma femme et moi avons essayé d'éviter de les élever dans le respect de ce stupide stéréotype. Résultat ? Nous avons échoué. Mon fils adore le foot et les chemises bleu ciel ; quant à ma fille, elle joue à la poupée – elle en a 22 exemplaires et montre une nette préférence pour les robes roses.

Pourquoi ?

Malgré tous nos efforts pour ne pas marquer de différence, comme tous les parents, nous avons agi différemment selon le sexe de nos enfants.

Une attitude la plupart du temps inconsciente puisqu'il est prouvé que les adultes ne se comportent pas de la même façon avec un bébé selon qu'ils croient que c'est un garçon ou une fille (Will *et al.*, 1976).

Lors d'une expérience, un bébé fut successivement vêtu en bleu et présenté sous le nom d'Adam, puis vêtu en rose et présenté sous le nom de Beth. Dans la pièce, devant les adultes qui participaient à l'expérience, il y avait trois sortes de jouets – un train (stéréotype de jeu de garçon), une poupée (stéréotype de jeu de fille) et une peluche poisson (objet neutre). Les adultes ont tendu systématiquement à l'enfant le jouet correspondant, selon eux, à son sexe. Et à la fin, ils ont tous affirmé que le bébé vêtu de rose qu'ils pensaient être Beth, la fille, était plus souriant qu'Adam.

Dans une expérience similaire (Smith et Lloyd, 1978), on a demandé à de jeunes mamans de jouer avec deux bébés filles et deux bébés garçons. Les enfants étaient habillés soit en rose, soit en bleu ; parfois la couleur du vêtement correspondait au cliché habituel rose-fille et bleu-garçon, parfois non. Différents jouets, de types masculins, féminins ou neutres, étaient éparpillés dans la pièce. Les mères ont toutes choisi des jouets correspondant au sexe des enfants, du moins tel que celui-ci était suggéré par leur tenue, et elles ont stimulé beaucoup plus verbalement les bébés qu'elles croyaient être des garçons. Toutes les mères ont joué à tour de rôle avec les bébés et elles ont toutes eu systématiquement le même comportement. Conclusion : très tôt dans leur vie, les bébés subissent une socialisation stéréotypée selon leur sexe.

Le bleu pour un garçon et le rose pour une fille n'est pas une tradition ancestrale. Au contraire, c'est une mode assez récente puisque en 1918, le *Ladies Home Journal* américain suggérait à ces dames d'habiller leurs fils en rose : *une couleur forte et intense est plus appropriée pour les garçons, alors que le bleu, plus gracieux, délicat et mutin, convient davantage aux filles.*

Avant les années 1930, en effet, le rose était considéré comme un dérivé du rouge – qui signifiait pouvoir et puissance – et était donc perçu comme une couleur virile. C'est seulement dans les années 1960 et 1970 que nos stéréotypes actuels ont été acceptés comme la norme.

Les enfants attachent une très grande importance aux couleurs. C'est, par exemple, un facteur décisif dans le choix des aliments (Oram *et al.*, 1995).

Dans une étrange étude, on a demandé à des enfants d'indiquer leurs couleurs préférées, puis on leur a lancé des balles de différentes couleurs pour voir s'ils attrapaient plus volontiers celles de leurs couleurs favorites (Isaacs, 1980). Il faudrait peut-être vérifier que les joueurs de cricket de l'équipe d'Angleterre préfèrent le rouge...

Très conscients de l'influence des couleurs sur les consommateurs, petits et grands, les publicitaires les choisissent avec un soin très particulier selon le sexe de celui à qui le produit est destiné.

Avant même de percevoir les différences biologiques entre deux adultes, les enfants s'appuient sur la couleur de leurs vêtements pour déterminer leur sexe (Picariello *et al.*, 1990).

Dans le cadre d'une enquête menée auprès d'enfants âgés de 3 à 5 ans, on a lu à haute voix cinquante histoires établissant un lien entre la couleur (rose/bleu) et le sexe (fille/garçon). On a ensuite demandé aux enfants de désigner leur couleur préférée et on leur a demandé de dire ce que, selon eux, choisirait l'autre sexe. Dans leur grande majorité, les garçons choisirent le bleu et les filles le rose. Ce qui montre que le cliché habituel a une influence même sur de très jeunes enfants (Shoots, 1996).

Est-ce que la préférence des femmes pour le rose est seulement la faute de la poupée Barbie ? Voulant savoir si ce cliché était aussi répandu dans des sociétés moins médiatisées que les nôtres, une poignée d'universitaires se sont mis à chercher d'autres facteurs d'évolution déterminants.

Dans une enquête menée auprès d'un échantillon d'hommes et de femmes britanniques de type caucasien, des chercheurs leur ont demandé de choisir leur couleur préférée parmi un échantillon de papiers colorés rectangulaires disposés comme un prisme. La couleur unanimement choisie, et donc arrivant en tête, fut le bleu. Néanmoins, les femmes affichèrent une préférence pour un bleu tirant sur les tons de rose et de lilas. Ces mêmes chercheurs ont conduit une expérience identique auprès d'un petit groupe de Chinois et ils ont observé les mêmes résultats, suggérant ainsi que le choix était plus biologique que culturel. La différence entre les sexes était tellement flagrante que les universitaires ont prétendu pouvoir prédire le sexe des participants en fonction de leur couleur préférée. D'après eux, l'attirance pour une couleur remonterait à l'époque de la préhistoire où les humains se nourrissaient de chasse et de cueillette. Les femmes qui choisissaient de ramasser un fruit rouge auraient eu un avantage sur les autres puisque la couleur de ce fruit indiquait qu'il était mûr (Hurlbert et Ling, 2007).

(Pas de chance pour celles qui auraient choisi les baies de l'if, hautement toxique.)

Pourquoi donc dans cette expérience, les hommes et les femmes montrent-ils tous une nette préférence pour le bleu ? Le bleu serait associé au ciel et donc au beau temps, mais aussi à une source d'eau claire potable et propre (Hurlbert et Ling, 2007).

Affirmer que l'attirance pour telle ou telle couleur est innée et dépend du sexe est controversé. Pour certaines féministes, le rose décliné en robes, jupes, pulls et chemisiers est le symbole de l'asservissement et de l'oppression de la femme dans les sociétés modernes. Et que l'on puisse suggérer que ce choix s'expliquerait par des facteurs biologiques serait, pour elles, la goutte d'eau qui fait déborder le vase, comme si on déformait la science pour renforcer les vieux clichés machos. Mais il y a peut-être finalement une explication beaucoup plus simple, pratique et pas du tout sinistre.

Habiller un bébé en bleu ou en rose selon qu'il est un garçon ou une fille permet tout simplement aux visiteurs d'éviter de se tromper.

L'AÎNÉ EST PLUS INTELLIGENT

Le premier-né est doué, le second est difficile et le plus jeune est un rebelle.

C'est du moins ce que prétend le stéréotype.

Ma femme et moi sommes les derniers de nos familles respectives et je ne dirais pas que nous sommes des rebelles. En revanche, nous sommes persuadés tous les deux avoir été élevés différemment par nos parents et considérés autrement par notre entourage familial, que nos frères et sœurs nés avant nous.

Concernant ce cliché du caractère différent selon l'ordre de naissance, il y a différentes écoles. Certains suggèrent que cela peut effectivement avoir un impact sur l'intelligence et la personnalité, d'autres affirment qu'il n'y a aucun rapport entre les deux et que toutes les théories sur ce sujet sont suspectes.

Les premières recherches sur l'ordre de naissance datent de 1874 lorsque Sir Francis Galton (1822-1911) révéla que 48 % des 99 scientifiques célèbres auprès desquels il avait enquêté pour écrire son livre, *English Men of Science*, étaient des enfants uniques ou les aînés de leur famille. Il avait ignoré les sœurs car, comme c'était l'usage à cette époque, les filles comptaient pour du beurre.

La conclusion de Galton était que les aînés partaient dans la vie avec un net avantage sur les autres membres de la fratrie.

Une cinquantaine d'années plus tard, le psychologue Alfred Adler (1870-1937) proposa la théorie du complexe d'infériorité (Ansbacher et Ansbacher, 1956), qui repose sur l'idée que les premiers-nés profitent de l'attention, des soins et de l'amour exclusif de leurs parents jusqu'à la naissance du cadet. À ce moment-là, l'aîné a le sentiment d'être déchu de sa toute-puissance et se sent rejeté, ce qui fait, toujours selon Adler, que les aînés auraient plus de tendances névrotiques et de problèmes affectifs et seraient plus enclins à devenir la proie de l'alcoolisme ou de la violence dans leur vie future. Les derniers-nés, en revanche, abusent de leurs parents et sont trop gâtés. Quant à l'enfant du milieu, selon Adler, c'est celui qui a le plus de chances de devenir un adulte posé et équilibré.

D'où vient donc cette croyance que l'aîné est avantagé par rapport aux autres enfants de la famille ?

L'une des explications avancées tiendrait dans ce que l'on appelle *la dilution des ressources.* Chaque parent a des moyens limités, en termes de temps, d'argent et d'attention, à consacrer à ses enfants. Entre la naissance du premier et celle du deuxième enfant, il y a une période pendant laquelle l'aîné en a le monopole, sans être obligé de partager avec un autre enfant. Une autre raison serait que le premier-né tient parfois le rôle d'éducateur pour les suivants. L'une des meilleures façons d'apprendre étant d'enseigner, cela contribuerait à en faire un leader plutôt qu'un disciple.

Frank Sulloway, de l'université de Californie à Berkeley, soutient que les aînés sont plus consciencieux mais moins agréables et moins extravertis que les enfants suivants qui tendent au contraire à être les rebelles de la famille (Sulloway, 1996).

Selon d'autres recherches, menées en 2007 sur 241 310 soldats norvégiens appelés sous les drapeaux, les aînés ont des tests de QI, le quotient intellectuel, de 2,3 points plus élevés que ceux de leur cadet. Cet écart s'expliquerait selon eux par la différence de rang social au sein de la famille. Les chercheurs sont parvenus à cette conclusion en étudiant plus précisément les cadets et les benjamins des familles dans lesquelles l'aîné, garçon ou fille, était décédé dans son enfance. Ils ont découvert que ces cadets, devenus aînés à la suite du décès du premier-né, avaient un QI équivalent à ceux des aînés des autres familles et que parallèlement, le QI du troisième enfant, devenu numéro deux après le décès de l'aîné, s'était lui aussi amélioré en moyenne d'un point, atteignant le même niveau que celui des cadets. Cela suggère que c'est l'environnement et les attentes familiales, plutôt que l'ordre biologique de naissance, qui joue un rôle de booster, d'amplificateur d'intelligence. En d'autres termes, ce qui compte ce ne serait pas d'être l'aîné mais d'être considéré comme l'aîné (Kristensen et Bjerkedal, 2007).

Quoi qu'il en soit, quand on regarde les choses de plus près, il n'est pas aussi évident que naître en premier soit un avantage.

Il suffit de se pencher sur l'une des plus intéressantes études réalisée sur la question. Elle fut menée en Suisse sur un échantillon de 7 582 étudiants. Après une enquête sur douze aspects différents de leurs personnalités, on ne découvrit aucun effet lié à l'ordre de naissance au sein d'une famille de deux enfants (Ernst et Angst, 1983).

La scientifique Judith Rich Harris adressa la critique la plus cinglante à cette théorie de l'aîné favorisé sur le plan de l'intelligence, et elle rejeta en bloc cette idée.

Ses arguments énervèrent tellement son confrère Sulloway (celui qui pense au contraire que les aînés sont plus consciencieux que les suivants), que la publication de son livre fut différée pendant quatre ans à cause de menaces de poursuites.

Selon Judith Rich Harris, si la théorie de l'ordre de naissance était fondée, cela voudrait dire que les enfants uniques auraient une personnalité et un caractère *intermédiaires*, se situant quelque part entre ceux de l'aîné et du cadet, et que leur personnalité ne se distinguerait pas de ceux des enfants ayant des frères et sœurs (Harris, 1998).

Quoi qu'il en soit, si l'ordre de naissance existe, il a un effet négligeable sur la personnalité. Ce n'est pas parce que vous êtes l'aîné que vous êtes plus doué que vos frères et sœurs ni que vous serez un leader-né. Pas plus que, si vous êtes le second ou le troisième, vous n'êtes condamné à être un rebelle !

Dis-moi comment tu t'appelles...

Dans le feuilleton télévisé *The Good Life*, en 1970, les personnages féminins de la famille Surbiton, une famille de la classe moyenne, s'appelaient Margot et Barbara. Dans les années 1990, la comédie télévisée *Birds of Feather* mettait en scène deux femmes de la classe ouvrière nommées Sharon et Tracey.

Pourquoi est-ce que la BBC avait choisi ces prénoms ? Parce qu'ils collaient parfaitement aux stéréotypes associés à leurs personnages respectifs. Mais qu'a-t-on choisi en premier, est-ce le personnage et ses caractéristiques, ou bien est-ce son nom ? Est-ce qu'un prénom aide à créer le personnage correspondant, ou bien, au contraire, est-ce que ce sont les stéréotypes qui influencent le choix des noms ?

Bien entendu, peu d'entre nous ont eu la charge de baptiser un personnage de fiction ; en revanche, les parents se sont tous un jour ou l'autre posé cette question : « Quel prénom donner à mon enfant ? »

Le choix dépend de bon nombre de paramètres – pour respecter une tradition familiale, ou parce qu'il sonne bien, ou parce que l'un des deux parents admire une personne célèbre. Quelle que soit la raison du choix, le prénom d'une personne est l'une des composantes les plus visibles de son identité, c'est la première information qu'elle donne sur elle, souvent même avant qu'on ne la rencontre.

Faites le test suivant : imaginez que dans quelques minutes vous allez faire la connaissance de Jennifer, Allison, Albine, Célia et Ninon ; donnez-vous quelques minutes pour imaginer celle que vous aurez décidé de rencontrer. Choisissez ensuite un autre prénom et constatez la différence, je suis sûr que ce petit test dépassera toutes vos espérances !

Le prénom de la personne que nous avons en face de nous joue un rôle central dans toutes les relations que nous avons avec elle, dans la façon dont nous interprétons son comportement et dans notre attitude vis-à-vis d'elle, mais cela affecte aussi la perception qu'elle a d'elle-même et sa propre attitude dans la vie (Deluzain, 1996).

On appelle ce phénomène *une prédiction qui se réalise*, c'est l'un des plus puissants stéréotypes qui existent et que nous véhiculons dans le savoir (Gross, 2005).

La tribu ashanti qui vit au Ghana en Afrique de l'Ouest pratique à l'extrême ce stéréotype du prénom (Gustav Jahoda, 1954). Presque tous les membres de cette communauté sont persuadés que le jour de naissance d'un garçon – cela ne concerne pas les filles – affecte sa personnalité et la façon dont il se comportera dans sa vie future. Ainsi, d'après eux, un garçon né un lundi sera pacifique et doux, alors que celui né un mercredi sera agressif et violent. L'influence de cette coutume est si forte que le deuxième prénom des garçons de cette tribu est souvent le jour de leur naissance. Les chercheurs qui se sont penchés sur la question, ont découvert de nombreuses preuves à l'appui de cette superstition.

Ainsi, après avoir examiné les comptes rendus d'audience de tribunaux pour enfants sur une période de cinq ans, ils découvrirent qu'une importante proportion de garçons étaient nés un mercredi et que ces garçons étaient responsables de 22 % des crimes violents enregistrés.

En revanche, le nombre de garçons du lundi déférés devant les tribunaux, se situait bien en dessous de la moyenne, statistiques qui renforçaient la superstition locale selon laquelle les garçons ont un comportement correspondant parfaitement aux attentes de leur communauté. Leur prénom leur rappelle constamment ce que l'on attend d'eux, renforce la fameuse *prédiction* qui, à la fin, se réalise forcément.

Comme vous vous en doutez, les Ashantis n'ont pas l'exclusivité du stéréotype systématique du prénom.

Deux chercheurs américains ont étudié ses effets auprès de professeurs américains. Leur but était de découvrir l'influence des prénoms des étudiants sur les attentes des professeurs. Ils ont demandé aux professeurs de noter des copies rédigées par des élèves de 11 ans identifiés uniquement par leurs prénoms. Les devoirs de ceux qui portaient un prénom *séduisant* ont tous eu un point de plus que les devoirs de ceux qui avaient un prénom *peu attrayant.* (Dans l'ordre de préférence : David, Michael, Elmer, Hubert alors que pour les filles, l'ordre était Adèle, Lisa, Karen, Bertha.)

Les professeurs préféraient les prénoms Adèle et Lisa, mais ils avaient mis de meilleures notes à Adèle car ils reconnaissaient à ce prénom une plus grande connotation érudite qu'aux autres.

Lorsque plus tard, on présenta aux professeurs de nouveaux devoirs réalisés par ces mêmes enfants mais anonymes cette fois, les notes étaient toutes similaires entre elles, il n'y avait quasiment plus d'écart entre les enfants (Harari et McDavid, 1973).

Dans une autre étude (Garwood, 1976), on demanda à 79 professeurs de classer des prénoms d'élèves masculins dans un ordre croissant allant de peu séduisant à très séduisant, puis on compara le résultat avec les notes obtenues par ces mêmes élèves.

Il apparut que la moyenne des notes réalisées par le groupe des élèves dont les prénoms avaient été classés au top, était deux fois plus élevée que les notes de ceux qui avaient le malheur de porter un prénom moins apprécié.

On remarque que cette étude ne prenait en considération que des prénoms de garçons, ce qui m'amène à souligner qu'il existe une subtile différence entre le stéréotype du prénom des garçons et celui des filles.

Par exemple, le degré de popularité des filles à l'école, comme le succès des garçons auprès des filles, est directement lié au fait que leur prénom est jugé attractif ou non. Ce facteur ne joue pas lorsque l'on prend en considération l'origine ethnique ou l'éducation parentale : dans ce cas, la popularité est maintenue mais seulement pour les filles (Busse et Seraydarian, 1978).

Il semble, par ailleurs, qu'un prénom masculin jugé commun, soit mieux perçu qu'un prénom féminin lui-même jugé commun (West et Shults, 1976).

On a demandé à 464 psychiatres de poser leur diagnostic sur un cas particulier, en l'occurrence, un jeune qui souffrait de graves troubles mentaux. On a adressé le dossier médical de ce patient à chacun de ces spécialistes. Quatre versions de ce document ont été envoyées, la seule différence entre elles étant le prénom attribué : deux prénoms *négatifs*, Wayne et Tracey, et deux prénoms *positifs*, Matthew et Fiona.

Matthew fut diagnostiqué comme schizophrène plus souvent que Wayne ; toutefois, Wayne reçut 18 % de plus d'appréciation négatives, comme *troubles de la personnalité, problèmes liés à une dépendance aux substances toxiques* et même, *simulateur* et *malade imaginaire* (Birmingham, 2000).

Cela suggère que même les psychiatres, qui sont *a priori* plus conscients que les autres du danger de mettre une étiquette sur quelqu'un, ne peuvent pas s'empêcher d'être influencés par leur perception stéréotypée des prénoms.

À noter qu'il n'y avait pas de différence particulière entre Fiona et Tracey.

Notre nom ou notre prénom pourrait même nous influencer dans le choix d'un lieu de résidence par exemple, les gens qui s'appellent Lefebvre seraient flattés d'habiter boulevard Lefebvre à Paris – ou bien dans nos choix professionnels (il semblerait qu'un Dennis ou une Denise serait particulièrement attiré(e) par la profession de dentiste). Et nous épouserions plus volontiers quelqu'un dont le nom de famille commencerait par la même lettre que notre propre nom (Pelham *et al.*, 2002).

Compte tenu de ce que nous venons d'apprendre à propos de l'importance des noms, cela vaut la peine de réfléchir à ceci : à quoi est-ce que les parents de toutes ces petites filles américaines baptisées Armani (298), Chanel (269),

Canon (49) et Lexus (353) pensaient-ils lorsqu'ils ont choisi ces prénoms pour leur progéniture en 2000 ?

Est-ce que tout est joué d'avance pour ces enfants auxquels leurs parents gâteux ont donné des noms aussi ridicules ?

Non, Chanel, rassure-toi, tout n'est pas perdu ! Le stéréotype ne passe pas l'épreuve de la photo. Le psychologue Kenneth Steele a prouvé que le préjugé s'applique en l'absence d'une photographie ou d'une rencontre face à face. Il a fait l'expérience suivante : il a d'abord distribué une liste de noms jugés attirants (Jon, Joshua ou Gregory) et peu attirants (Oswald, Myron, Reginald), puis il a présenté les photos des personnes correspondant à ces mêmes noms. Il a pu constater que le préjugé de départ ne tenait pas. Le fait de voir la photo effaçait les impressions positives ou négatives initiales (Steele et Smithwick, 1989).

Si vous avez hérité d'un prénom que vous jugez commun, ou peu attirant, n'oubliez pas que vous avez toujours une voie alternative qui peut créer une impression différente (Leirer *et al.*, 1982). Il est prouvé en effet que les gens tendent à associer différentes formes de prénoms communs – comme Robert (formel), Bob (familier) ou Bobby (adolescent) – à différentes personnalités. Il vous reste à choisir laquelle vous convient le mieux.

Vous pouvez donc vous présenter à votre guise en fonction des circonstances : Geoff Rolls (simple, informel et sans chichis) ; Geoffrey William Rolls (plus formel, sérieux, prétentieux, ne se mélange pas avec n'importe qui) ; Geoff W. Rolls (un peu ridicule, et rappelant George W. Bush) ; G.W. Rolls (mystérieux, formel, a un côté androgyne) ; G. Rolls (insignifiant, ennuyeux, terne, a un côté androgyne).

Où tout cela nous a-t-il menés ? Une chose est sûre : lorsque le premier Wayne, Tracey, Shane ou Sharon, prénoms jugés peu attrayants, sera nommé Premier ministre au 10 Downing Street (la résidence du Premier ministre anglais), nous serons alors absolument certains que lui, ou elle, aura dépassé un immense stéréotype pour en arriver là – et méritera amplement de profiter de tous les privilèges que sa position lui réserve.

Le gaucher est créatif

On pense communément que les gauchers ont de nombreux talents artistiques. Ils sont souvent doués pour la peinture et les travaux manuels. Ils sont plus créatifs que les droitiers pourtant bien plus nombreux qu'eux.

Jules César, Charlie Chaplin, Léonard de Vinci, Albert Einstein, Paul McCartney, John McEnroe, Brian Lara : tous des créateurs et tous des gauchers.

La créativité étant en général considérée comme quelque chose d'utile, ce stéréotype du gaucher créatif est donc regardé positivement, contrairement à la majorité des stéréotypes étudiés dans ce livre.

Les gauchers représentent entre 7 % et 10 % de la population, c'est donc un groupe largement minoritaire et souvent négligé. Il y a plus d'hommes que de femmes gauchers (5 hommes pour 4 femmes). Il est plus fréquent de trouver des gauchers chez les vrais jumeaux (Hardyck et Petrinovitch, 1977), dans la population homosexuelle masculine (Lalumière *et al.*, 2000) et chez les personnes souffrant de troubles neurologiques, tels que l'autisme, la trisomie et l'épilepsie (Batheja et McManus, 1985).

Si les gauchers sont aujourd'hui largement acceptés au sein de la population, cela n'a toutefois pas toujours été le cas, il suffit pour s'en convaincre de se pencher sur la linguistique. Le mot *sinistre*, qui a une connotation très négative, vient du latin et signifie *gauche*. Le mot *droit* est en revanche un mot positif synonyme de *justesse* et d'*exactitude*. Il signifie aussi *le droit*, dans le sens de l'autorisation de faire quelque chose.

L'adjectif *ambidextre* est utilisé pour désigner une personne qui peut utiliser ses deux mains avec autant d'agilité ; toutefois, le mot latin *dexter* veut dire bien, exact, par conséquent le mot *ambidexter* signifie littéralement droitier des deux côtés.

Le mot *valet de pied* vient de l'époque où les esclaves ou les serviteurs étaient positionnés à la porte d'entrée pour vérifier que les invités entraient dans la maison du pied droit (Coren, 1992).

Des recherches archéologiques montrent qu'il y avait autant de gauchers au Moyen Âge qu'aujourd'hui. Durant la révolution industrielle des XVIIIe et XIXe siècles, des tentatives d'éradication ont été lancées, sans doute pour standardiser le comportement des hommes avec les machines (Steele et Mays, 1995 ; McManus, 2002).

Pour obliger les gauchers à écrire de la main droite, on n'hésitait pas utiliser la force : on attachait le bras gauche de l'enfant avec une sangle pour l'empêcher de s'en servir. Les récalcitrants et ceux qui, malgré ce traitement, utilisaient de nouveau leur main gauche pour écrire, étaient flagellés. Cette pression culturelle a duré des décennies, les petits gauchers étaient sans cesse encouragés à l'école à se servir de leur main droite. À mesure que la discrimination a diminué, le nombre de gauchers s'est accru et continue de progresser.

On compte aujourd'hui 11 % de gauchers de 15 à 24 ans, contre 3 % qui ont de 55 à 64 ans, c'est-à-dire 8 % de plus (Raymond *et al.*, 1996).

Les gauchers sont considérablement défavorisés au sein de notre société parce que la majorité des instruments ou des outils que nous employons quotidiennement sont conçus pour des utilisateurs droitiers. Les ciseaux et les couteaux sont des exemples évidents, mais la souris de l'ordinateur a elle aussi été conçue pour droitiers. Dans le monde occidental, les gauchers ne voient rien quand ils écrivent puisque leur propre écriture est cachée par la main qui est en train d'écrire. Les gauchers arabes, persans, urdus ou hébreux n'ont pas ce genre de problème car ils écrivent de droite à gauche. Cela dit, avant l'invention du papier toilette, lorsque la main gauche était utilisée à des fonctions très précises, cela devait être assez délicat pour eux.

Même la coutume de se serrer la main avec la main droite leur porte préjudice. Au Moyen Âge, quand deux chevaliers se saluaient, ils se serraient la main, c'était une garantie qu'aucun des deux ne pouvait dégainer en même temps son épée ou son couteau. Mais on ne faisait pas confiance aux gauchers qui pouvaient parfaitement faire les deux choses en même temps : serrer la main d'un homme de la main droite et lui planter sa dague dans le dos de la main gauche.

Mais tout n'est pas si noir que cela pour les gauchers !

Leur succès en sports a contribué à donner d'eux une image positive.

En football, par exemple, l'équipe idéale devrait compter autant de joueurs marquant du pied gauche que de joueurs marquant du pied droit. Avec seulement 10 % de gauchers dans la population, les joueurs qui ont cette qualité innée sont rares et donc très recherchés. En général, les sportifs sont habitués à jouer contre des adversaires droitiers. C'est particulièrement évident au tennis où les joueurs droitiers sont en grande difficulté devant le jeu d'un gaucher, surtout quand celui-ci donne de l'effet à sa balle. Le joueur espagnol Raphael Nadal est droitier mais son coach l'a poussé à jouer de la main gauche parce qu'il était persuadé que cela avantagerait son élève, ce que ce dernier a largement prouvé.

Parmi les joueurs de cricket gauchers, citons particulièrement les batteurs antillais Garfield Sobers et Brian Lara. On pense communément qu'avoir des gauchers dans l'équipe adverse peut perturber le rythme du lanceur car il doit ajuster son tir. Sachin Tendulkar, l'un des plus fameux batteurs indiens, tient sa batte de la main droite mais écrit de la main gauche. À ma connaissance, il n'y a qu'un sport dans lequel le joueur est vraiment très désavantagé s'il est gaucher, c'est le polo. Les règles de ce jeu interdisent formellement de tenir le maillet de la main gauche, ce qui évidemment ne facilite pas la tâche des gauchers amateurs de ce sport.

Et que dit la science à ce sujet ? Avant d'entamer ce chapitre, il me semble intéressant de vous parler brièvement de la structure de notre cerveau. Celui-ci est divisé en deux parties que l'on nomme hémisphères et il se comporte comme un centre de contrôle controlatéral, ce qui signifie que l'hémisphère droit du cerveau contrôle le côté gauche de notre corps et vice versa.

Les fonctions les plus évidentes de l'hémisphère gauche sont le développement et le contrôle de la parole et du langage : entre 70 et 95 % des êtres humains contrôlent le langage grâce à l'hémisphère gauche (Witelson et Pallie, 1973).

Les autres fonctions de l'hémisphère gauche incluent la logique et l'ordre.

Les fonctions contrôlées par l'hémisphère droit sont l'intuition, les émotions, l'expression, les relations dans l'espace, et la capacité de faire deux choses en même temps.

Il semble que la prédisposition à utiliser telle main de préférence à l'autre est déterminée très tôt dans la vie.

Une équipe de l'université d'Oxford, dirigée par Clyde Francks, a identifié un gène (nommé LRRTM1) qui jouerait un rôle dans le fait d'être droitier ou gaucher (Franks, Maegawa, Laurén *et al.*, 2007).

On a même observé des fœtus dans l'utérus de leur mère : certains choisissent de sucer leur pouce droit, d'autres leur pouce gauche (Hepper, McCartney et Shannon, 1998).

La théorie de Geschwind, du nom du neurologue Norman Geschwind, suggère qu'il y a plus de probabilité que l'enfant soit gaucher lorsque le taux de testostérone est au plus haut avant la naissance.

La testostérone réprime la croissance de l'hémisphère gauche ; de ce fait, l'hémisphère droit, qui contrôle la main gauche, est mieux préparé pour devenir le processeur central du langage, bien que cela ne soit pas son rôle habituel (Salvesen *et al.*, 1993).

Des preuves soutenant cette thèse sont apportées par une enquête menée sur les options universitaires choisies par des étudiants droitiers et des étudiants gauchers. Conclusion : les gauchers sont plus attirés par des matières visuelles que par des matières linguistiques. Cela pourrait expliquer le fait qu'un enfant gaucher ait plus de risques d'être dyslexique ou d'avoir des troubles du langage en raison de la domination du cerveau droit (Bragdon et Gamon, 2004).

Une autre théorie suggère que les gauchers et les droitiers n'ont pas la même façon de penser et de raisonner, ce qui expliquerait le cliché du gaucher créatif. Alors que les droitiers ont tendance à résoudre les problèmes un par un et dans l'ordre, ce que l'on appelle *la méthode de traitement séquentiel*, les gauchers les attaquent à bras-le-corps et d'une façon globale, c'est *la méthode visuelle simultanée*. Conséquence : les gauchers ont une grande capacité à mener plusieurs tâches de front, ce qui serait un important élément de créativité. Des recherches montrent que les gauchers gagnent un peu plus que leurs cousins droitiers, peut-être parce que leur façon de penser différemment les avantage (Waldfogel, 2006).

Quoi qu'il en soit, ce ne sont que des hypothèses car tout cela n'est pas très bien défini. Être gaucher suppose que votre hémisphère droit est dominant mais ce n'est pas vérifié systématiquement. Être droitier n'empêchera pas nécessairement votre hémisphère droit de prendre le dessus. Il y a un considérable recoupement entre les capacités des droitiers et des gauchers, et la seule certitude que l'on a est que cela a un lien avec le fonctionnement du cerveau.

Des éléments semblent prouver que les gauchers seraient en effet plus créatifs que les droitiers ; cependant, comme il y a beaucoup plus de droitiers dans la population, il y a forcément plus de droitiers créatifs que de gauchers.

Associer un droitier à un gaucher peut donner de grandes choses, voyez Lennon et McCartney.

Encore faut-il que le gaucher sache ce que fait le droitier…

L'INCONNU EST UNE MENACE

Ne jamais accepter de bonbon de la part d'un inconnu, ne jamais parler à quelqu'un que l'on ne connaît pas et ne jamais monter dans sa voiture. *Pars en courant et crie au secours s'il s'approche de toi !*

À chaque occasion, nous mettons en garde nos enfants contre la menace potentielle que représente l'étranger, c'est-à-dire la personne que l'on ne connaît pas. Ce stéréotype, très ancien, qui suggérait que la menace était dehors et qu'elle nous guettait la nuit à chaque coin de rue déserte, s'est beaucoup étendu. Aujourd'hui, nous mettons nos enfants en garde contre des dangers auxquels ils sont exposés en plein jour et dans des lieux publics.

L'actualité, malheureusement, justifie parfois ces craintes, et quelques tueurs d'enfants ont mis le projecteur sur le fait qu'effectivement, un inconnu peut être dangereux :

Le jeune James Bulger fut tué en 1993 par deux enfants de 10 ans qui le kidnappèrent alors qu'il faisait des courses avec sa mère.

La petite Sarah Payne, âgée de 8 ans, fut assassinée par un pédophile un après-midi de l'été 2000.

Dans ces deux cas, les victimes ne connaissaient pas leurs meurtriers.

Mais en 2002, Holly Wells et Jessica Chapman, âgées toutes les deux de 10 ans, furent tuées par le concierge de leur école, Ian Huntley, un homme qu'elles connaissaient.

Est-ce que l'équation : inconnu égale danger, est justifiée, ou bien le danger rôde-t-il en réalité plutôt dans notre environnement familier ?

En fait, les chiffres prouvent que ceux qui commettent des crimes contre des adultes et même des enfants sont rarement des inconnus. Au contraire, la plupart des crimes sexuels sont le fait de gens que leurs victimes connaissaient : 46 % des viols sont commis par un membre de l'entourage, 20 % par une personne avec laquelle la victime a eu une relation sexuelle consentie dans le passé et 20 % par une personne rencontrée dans les vingt-quatre heures précédant l'agression. Seulement 14 % des viols le sont par des gens inconnus de leur victime (Lee, 1996).

Il faut noter que les viols par des personnes de l'entourage sont moins signalés à la police que ceux qui sont commis par une personne inconnue : 2 % contre 21 % (Koss *et al.*, 1987).

On retrouve les mêmes proportions dans les cas de viols sur enfants. Dans une étude portant sur les sévices sexuels infligés à des mineurs, la NSPCC, la société nationale britannique de prévention et de protection des enfants, a établi que 5 % de tous les enfants âgés de moins de 16 ans signalent avoir été victime d'un abus sexuel commis par un étranger ou quelqu'un qu'ils connaissaient depuis peu, alors que 11 % des enfants du même âge signalent des abus sexuels imputable à un membre de leur entourage (Cawson *et al.*, 2000).

La majorité des cas d'abus sexuels impliquent des membres de la famille, des relations ou des amis.

Aux États-Unis, on retrouve les mêmes statistiques : dans 93 % des cas d'abus sexuels sur mineurs, la victime connaissait son agresseur, 40 % des agressions se sont produites au domicile de la victime et 20 % au domicile d'un ami, d'un voisin ou d'une relation (Bureau des statistiques judiciaires, 1997).

Pourquoi ce mythe de l'inconnu dangereux persiste-t-il alors qu'il y a tant de preuves concrètes du contraire ? Pour quelle raison nous focalisons-nous sur l'improbable et ignorons-nous les vrais risques ?

Très souvent, les médias perpétuent le stéréotype, et notre fascination morbide pour le sensationnel les y encourage. Mais même le plus violent des assassins ou le pire des meurtriers, peut être quelqu'un de *normal* pour sa famille et ses amis.

Hannibal Lecter, joué par Anthony Hopkins dans *Le Silence des agneaux*, réalisé par Jonathan Demme en 1990, apparaît par moment comme un être civilisé, intelligent et plein de charme, malgré le fait qu'il soit un tueur en série. D'autres films ou séries télévisées racontant la vie de personnes ayant commis des crimes épouvantables présentent les mêmes ambiguïtés : par exemple, dans *Dexter* (2006), la série américaine qui remporta un Emmy Award, dans lequel Dexter Morgan est un tueur en série qui travaille pour la police de Miami, et *American Psycho*, réalisé par Mary Harron en 2000.

Les journaux qualifient volontiers les criminels de *bêtes* ou d'*animaux*, ils leurs donnent des surnoms comme l'*Éventreur du Yorkshire* ou l'*Étrangleur de Boston* pour souligner à quel point ces *monstres* sont différents du reste de la société (Soothill et Walby, 1991). Cela nous rassure, bien entendu, de nous dire que le mal ne se cache pas parmi nous mais qu'il existe à l'extérieur (Baumeister, 1996).

Nous sommes donc prêts à croire que ceux qui commettent des violences constituent une race à part, des êtres différents du reste de la population, des *bêtes* ou des *animaux* que nous pourrions repérer au milieu des autres.

Cette croyance est fausse et dangereuse car l'une des raisons pour lesquelles certains tueurs en série ne sont pas inquiétés pendant des années réside justement dans le fait que ce sont des gens ordinaires. Leur entourage a du mal à croire qu'ils ont été capables de perpétrer des crimes aussi atroces.

L'épouse de Peter Sutcliffe, « l'Éventreur du Yokshire », le chauffeur routier de Bradford reconnu coupable de 13 meurtres et 7 tentatives de meurtres entre 1976 et 1981, disait que son mari était quelqu'un de *si normal* qu'elle ne l'avait jamais suspecté.

Beaucoup de gens ont eu également du mal à croire que Ted Bundy, cet étudiant à l'allure si soignée et présentant si bien, avait tué 36 femmes et semé la terreur aux États-Unis durant quatre ans, dans les années 1970. Pourtant, pendant son procès et malgré toutes les preuves de sa culpabilité, les gens s'extasiaient encore sur ses belles manières et son physique *séduisant*.

Des psychologues féministes soutiennent que cette thèse du *tueur fou* et différent de nous, détournerait notre attention de la réalité, c'est-à-dire du fait que la violence est un élément qui s'est banalisé et est beaucoup trop *normal* dans de nombreuses relations hommes-femmes. Par ailleurs, l'importance démesurée accordée au danger extérieur, permettrait de maintenir les femmes à leur place, de limiter leurs vies et leurs choix dans l'existence, par exemple en les décourageant de sortir seules le soir. En réalité, ce sont les jeunes hommes qui courent le plus de risques de se faire agresser à l'extérieur, alors que pour une femme, le danger est d'être agressée par quelqu'un qu'elle connaît.

Au Royaume-Uni, 75 % des victimes de crimes violents sont des hommes et les hommes risquent de se faire attaquer par un inconnu deux fois plus que les femmes (Madriz, 1997).

La probabilité de croiser la route d'un inconnu dangereux est minime, mais cela reste évidemment un risque que personne ne voudrait sous-estimer. Mieux vaut prévenir que guérir. À moins que ? Exagérer le thème de l'inconnu dangereux conduit à minimiser les vraies causes de violence dans notre société (Barker, 2008). En répandant et en amplifiant cette peur de *l'inconnu qui rôde dehors*, non seulement les femmes deviennent encore plus dépendantes de l'entourage masculin, qui est justement le facteur de risque d'agression numéro 1, mais les enfants eux aussi sont limités dans leurs déplacements. Beaucoup d'enfants n'ont pas le droit de jouer dehors sans surveillance ; au contraire, leurs parents préfèrent les voir jouer chez eux avec leur console. Pourtant, affronter l'inconnu leur ferait justement prendre conscience des dangers qui existent à l'extérieur et leur permettrait de s'armer contre eux, alors qu'en les enfermant de cette manière, on sous-entend que les personnes de l'entourage ne sont pas dangereuses, ce qui paradoxalement leur fait courir un risque plus grand.

Les pédophiles l'ont très bien compris qui abusent des enfants après avoir gagné leur confiance. Ils ne sont plus considérés comme des inconnus. Alors que l'on parle beaucoup des risques d'Internet, la majorité des cas de pédophilie sont commis au sein de la famille, par un ami ou par un membre de l'entourage de l'enfant. Un petit pourcentage seulement met en cause Internet. Le danger que nos enfants soient abusés par un inconnu rencontré sur la Toile est encore un autre stéréotype exagérément répandu par les médias.

Nous devons avoir une attitude responsable face au risque, juger des dangers potentiels que nous devons affronter et considérer la meilleure façon de protéger notre progéniture sans limiter excessivement sa liberté.

Le risque zéro consisterait à priver nos enfants de voyages scolaires, de sports de contact, d'aller à pied à l'école ou d'aller faire une course au coin de la rue. Je crois qu'une telle attitude ne serait pas bénéfique. Le vrai risque est beaucoup plus proche de nous et nous sommes tous concernés.

Lire aussi : Le gardien de prison est sadique ; Les fous sont dangereux ; La méchante belle-mère.

Le vieux cochon

Dans la série télévisée de la BBC *Steptoe and son* qui date des années 1960, le personnage d'Harold Steptoe critiquait sans arrêt son père et le traitait de vieux cochon.

Les vieux cochons existent, cela ne fait aucun doute. Comme Albert, ils peuvent l'être dans bien des circonstances, en particulier quand ils reluquent une jolie femme. Mais je voudrais plaider ici en faveur de ces pauvres vieux et pour cela, il me semble qu'il serait opportun d'explorer brièvement l'histoire et de regarder pourquoi les vieux messieurs ont tant de mal à faire semblant de ne pas voir les attraits des jeunes femmes.

Le fait que la reproduction soit la clé de la survie de l'espèce est une idée bien ancrée en nous : plus un homme fait l'amour avec une femme en âge de procréer, plus grande est la probabilité d'assurer sa descendance. Autrefois, c'était un impératif, il fallait procréer. De nos jours, avec le développement de la pilule et des autres méthodes de contraception, le sexe n'est plus seulement synonyme de reproduction, c'est aussi une activité agréable en tant que telle. Les hommes peuvent être pères à tout âge, le seul obstacle, c'est le manque d'énergie ou simplement l'occasion. Afin de se reproduire, il leur faut une compagne jeune, parfois même beaucoup plus jeune qu'eux. Cela permet de comprendre pourquoi les hommes d'un âge avancé sont souvent attirés par des femmes en âge de procréer et qui sont par conséquent beaucoup plus jeunes qu'eux.

Les femmes apprécient chez les hommes la sécurité matérielle qu'ils peuvent leur apporter (Waynforth et Dunbar, 1995). Ces ressources proviennent de leur travail et aussi des biens hérités de leurs parents, ce qui explique pourquoi les hommes d'un âge avancé peuvent facilement l'emporter sur les hommes plus jeunes. Après une vie de labeur, ils ont les moyens d'offrir une sécurité financière à une jeune femme et à sa progéniture, cela leur donne une longueur d'avance sur leurs rivaux.

Cette explication peut paraître un peu simpliste mais de nombreuses femmes jugent attirante la sécurité financière que peuvent offrir les hommes d'un certain âge. Certaines pourraient même apprécier le fait que, compte tenu de la différence d'âge, il ne faudra pas attendre trop longtemps avant que la mort ne les sépare de leur cher et tendre.

Alors, la prochaine fois que vous verrez un vieux monsieur avec une jolie jeune femme à son bras, ne pensez pas tout de suite que c'est un vieux cochon. Il a simplement succombé à ses instincts, comme elle du reste…

Lire aussi : Recherche jolie femme – Recherche homme bonne situation ; Le tombeur et la traînée.

Les bibliothécaires sont des vieilles filles coincées et binoclardes

Avez-vous remarqué que, dans les films, les bibliothécaires sont toujours des femmes sans attrait ? En général, elles portent des lunettes, sont coincées, introverties, célibataires, craintives, timorées et timides. Dans le film La Vie est belle, réalisé par Franck Capra en 1946, avec James Stewart et Donna Reed, le personnage joué par James Stewart, George Bailey, veut se suicider après la banqueroute de sa banque qui risque de l'entraîner dans sa chute et de provoquer sa ruine. Dieu lui envoie un ange qui, pour lui démontrer l'utilité de sa vie, lui fait entrevoir ce qui serait arrivé à ceux qu'il aime s'il n'était jamais venu au monde. Sa femme, jouée par Donna Reed, apparaît alors sous les traits d'une vieille fille, bibliothécaire peu avenante, mal attifée et portant des lunettes. Cette vision déprimante est l'une des raisons qui persuadent George de ne pas mettre fin à ses jours mais au contraire d'affronter l'avenir pour renverser la situation. Avoir vu sa femme sous les traits d'une vieille fille terne et coincée est pire que la mort.

Le Radio Times a élu La Vie est belle comme le meilleur second film ayant jamais gagné un Oscar, le premier étant Les Évadés en 1994, réalisé par Franck Darabont. Dans ce film, le héros, Andy Dufresne, joué par Tim Robbins, est un prisonnier bibliothécaire qui donne une image très positive de la profession : il parvient à communiquer son optimisme et à redonner de l'espoir en l'avenir à ses codétenus à travers leur travail dans la bibliothèque de la prison.

Depuis les années 1970, on a pu voir au cinéma un grand nombre de portraits de personnages originaux renouvelant complètement le genre, comme dans Drôle d'embrouille, de Colin Higgins en 1978, où Goldie Hawn est une bibliothécaire qui découvre un complot visant à assassiner le pape, ou encore le personnage de Mary, la jeune bibliothécaire, jouée par Parker Posey, dans la comédie romantique *Party Girl,* de Daisy von Scherler Mayer.

Certains prétendent que la façon dont Hollywood dépeint les bibliothécaires n'a pas autant d'influence qu'on pourrait le penser sur l'image de cette profession auprès du public (Walker et Lawson, 1993).

Quoi qu'il en soit, les membres de cette profession sous-estimée sont poursuivis par un stéréotype négatif tenace. L'une des explications probables tient au fait que la plupart des bibliothécaires sont des femmes, et on sait que les personnes qui travaillent dans un métier essentiellement féminin, comme les secrétaires ou les infirmières, sont particulièrement sujettes au stéréotype et souffrent souvent d'un manque de considération de la part des autres. (Dans une moindre mesure, les hôtesses de l'air, métier essentiellement féminin, tombent parfois dans cette même catégorie, mais grâce au titre de « personnel navigant », elles sont souvent moins méprisées.) La plupart des hommes qui choisissent ces métiers sont également étiquetés négativement (Carmichael, 1992).

Pour le grand public, les bibliothécaires sont des personnes calmes, sérieuses, sévères, célibataires, vieux jeu, coincées et binoclardes (Kirkendall, 1986).

D'autres chercheurs ont voulu vérifier le stéréotype de la bibliothécaire typique : une femme plutôt âgée, grande, maigre, pâlichonne et célibataire, aux cheveux gris noués en chignon bas sur la nuque. À travers une enquête amusante menée auprès des bibliothécaires de Nouvelle-Galles du Sud, en Australie (Green, 2005), il fut démontré que, sans surprise, la majorité des bibliothécaires étaient des femmes (82 %) et qu'elles portaient souvent des lunettes (84 %), mais, concernant les traits de caractère et le mode de vie, le préjugé s'arrêtait là. Selon ce sondage en effet, la bibliothécaire type vit en couple (84 %) et est âgée en moyenne de 48 ans. Ces femmes se décrivent elles-mêmes comme des personnes drôles et excentriques, sérieuses et extraverties, optimistes et gaies, amusantes, chaleureuses, boute-en-train, accueillantes et pleines d'énergie, c'est-à-dire pas très différentes des Australiennes typiques… Si conformément au stéréotype, la plupart d'entre elles avaient la peau claire (74 %), aucune ne s'est décrite comme étant pâlichonne. Elles ont en général les cheveux courts (69 %, tant pis pour le chignon !), et 50 % d'entre elles ont les cheveux bruns ; à noter que 21 % seulement avaient les cheveux gris.

Quant au stéréotype de la *grande et mince*, il n'a pu être démontré que dans une minorité de cas. Le plus surprenant dans cette enquête, c'est que 11 % de ces femmes portaient des tatouages.

Allez faire un tour à votre bibliothèque locale et vous constaterez que très peu de bibliothécaires collent à la fameuse étiquette de la binoclarde coincée, un préjugé qui, du reste, les énerve prodigieusement. Elles sont nombreuses à penser qu'on en parle trop et que l'on ferait mieux de passer à autre chose (Paul et Evans, 1988) plutôt que d'affirmer comme l'auteur australien John Frylinck :

> Nous utilisons en permanence des stéréotypes. Nous sommes confrontés à une telle foule d'informations sur les gens et leurs fonctions, que nous avons tendance à simplifier pour en extraire l'essentiel. Tous les métiers ont leurs stéréotypes, mais il semble que les bibliothécaires sont les personnes qui supportent le plus mal l'étiquette qu'on leur a collée.
>
> Stelmakh, 1994.

Courage, les filles ! La façon dont vous êtes perçues n'est pas aussi négative que cela, au contraire ! Selon un sondage mené auprès d'étudiants en 1988, vous parvenez à laisser vos soucis au vestiaire et vous ne comptez ni votre temps ni votre énergie pour renseigner le public (Morrizey et Case, 1988). On vous voit comme des personnes gaies et pleines d'entrain – après tout, Batgirl était une bibliothécaire et Casanova, le serial lover, n'a-t-il pas arrêté de courir après les femmes pour devenir lui-même bibliothécaire ? Du reste, s'il avait conservé ses deux centres d'intérêt, l'amour et la lecture, il aurait pu briser le préjugé une bonne fois pour toutes !

Un grand nombre de sites Internet et de blogs tenus par des bibliothécaires cassent le stéréotype, comme The Belly Dancing Librarian ou The Lipstick Librarian.

J'ai gardé le meilleur pour la fin. Afin d'être complet sur le sujet, et dans l'intérêt de la recherche, je me suis penché sur le fameux fantasme masculin :

La bibliothécaire coincée enlève ses lunettes, ôte une à une les épingles qui retiennent son chignon, secoue la tête et se transforme en un clin d'œil en une nymphette sexy tendance dominatrice.

Si ce rêve se réalisait, il y a fort à parier qu'il y aurait beaucoup moins d'analphabètes chez les garçons adolescents. Et je suis certain qu'ils s'intéresseraient de plus près à la lecture…

LA BLONDE EST STUPIDE

Un homme et sa femme blonde sont réveillés à 3 heures du matin par le téléphone. La blonde décroche, écoute et répond : « Comment voulez-vous que je le sache ? Il fait nuit, on ne voit rien dehors ! »

Elle raccroche.

Son mari lui demande qui c'était, elle répond : « Je n'en sais rien, c'était une femme qui voulait savoir si la voie était libre. »

Cette blague exploite le fameux stéréotype de la blonde idiote. Celui-ci s'applique aux femmes blondes qui, bien qu'attirantes, sont en général considérées comme moins intelligentes et moins sensées que leurs consœurs.

Il y a pourtant un certain nombre de blondes célèbres, telles que la scientifique Susan Greenfield et les politiciennes Margaret Thatcher et Hilary Clinton, dont la finesse et l'esprit remettent sérieusement en question ce préjugé. Nous pourrions discuter sans fin de l'étendue de leur intelligence, comme du reste de l'authenticité de la couleur de leurs cheveux, mais le fait demeure, le stéréotype de *la blonde* est tenace.

Cela ne fait de doute pour personne – même pour les blondes – que rien ne justifie ce cliché et surtout pas la recherche scientifique. Alors comment se fait-il qu'il perdure ? D'aucuns affirment que l'expression *blonde stupide* aurait été inventée pour décrire Rosalie Duthé, une prostituée parisienne du XVIIIe siècle, célèbre pour ses longs silences creux qui lui auraient donné une réputation de jolie femme idiote. En 1775, Rosalie Duthé devint le sujet d'une pièce en un acte, *Les Curiosités de la foire*, que le public parisien trouva hilarante. D'autres situent l'origine du stéréotype en 1925, date de la sortie du roman d'Anita Loos, auteur et scénariste américaine, *Les hommes préfèrent les blondes*. Bien qu'elle ne soit pas une vraie blonde, Marilyn Monroe excella dans ce rôle comme dans bien d'autres.

D'autres avancent des explications plus simples. De nombreux bébés de type caucasien naissent avec des cheveux blonds qui foncent avec l'âge ; ainsi la blondeur serait inconsciemment associée avec l'enfance et, par voie de conséquence, avec l'inexpérience et un discernement limité.

En Occident, les hommes considèrent que les femmes blondes sont séduisantes et attirantes.

Quand ils recherchent une partenaire, les hommes s'attachent au physique et les femmes aux ressources, comme des revenus ou un statut social (Kanazawa et Kovar, 2004). Comme les hommes intelligents ont en général une meilleure situation et une position sociale plus élevée que les hommes limités intellectuellement, il y a plus de chances que les jolies blondes finissent au bras d'un homme haut placé. Comme la blondeur peut être influencée par l'hérédité, car c'est un caractère récessif, et que l'intelligence est à la fois le fruit de la nature et de l'éducation, les enfants issus de telles unions peuvent combiner à la fois la blondeur et l'intelligence. Cela pourrait être un lien, j'en conviens, tiré par les cheveux, entre blondeur et intelligence, aussi bien chez l'homme que chez la femme.

Alors pour quelle raison nous cramponnons-nous à ce cliché de la blonde stupide ? Peut-être parce que même les femmes blondes ont réussi à comprendre ce que les hommes désirent le plus – et pour la majorité d'entre eux, ils ne fantasment pas sur une femme diplômée. Donc, c'est peut-être la raison pour laquelle les blondes mettent toute leur énergie dans la chasse à l'homme haut placé plutôt que dans leur propre éducation. Ce n'est pas une preuve de bêtise et de stupidité, mais simplement le signe qu'elles ciblent leurs objectifs de façon appropriée (Frank, 2007).

Les blondes ne sont pas bêtes. Parmi toutes les spéculations circulant sur Marilyn Monroe, l'une des plus crédibles concerne les rumeurs faisant état d'un QI, le quotient intellectuel, de plus de 160. Quoi qu'il en soit, de nombreuses personnes, des hommes et des femmes, prennent toujours ce cliché pour parole d'évangile.

On a demandé à 60 hommes et 60 femmes de regarder des photos d'une femme mannequin portant tout à tour quatre perruques de couleurs différentes : blond platine, blond naturel, brune et rousse. On a demandé aux participants d'évaluer le modèle selon un certain nombre de critères : intelligence, timidité, agressivité, tempérament et popularité. La blonde platine fut jugée la moins intelligente, en particulier par les hommes, la brune fut jugée la plus timide et la femme à la chevelure blond naturel, la plus populaire. Il semble donc que le cliché *blonde stupide* s'applique davantage aux blondes platine (Cassidy et Harris,

1999). Attention si vous vous autorisez, ne serait-ce qu'un instant, à jouer avec l'idée que les blondes sont stupides. Il suffit d'avoir conscience de l'existence d'un stéréotype pour que celui-ci affecte votre comportement, et dans ce cas *l'effet blonde* pourrait déteindre sur vous. On a démontré que lorsque des gens sont en compagnie d'une personne plus âgée, ils ont tendance à parler et marcher plus lentement. De la même façon, nos performances lors d'un test de culture générale peuvent être affectées par ceux qui nous entourent (Bargh *et al.* 1996). Les gens qui font un test en compagnie d'un top model ne réussissent pas aussi bien qu'en compagnie de professeurs d'université, personnes que l'on associe d'habitude à l'intelligence (Dijksterhuis et van Knippenberg, 1998).

Certains d'entre nous seraient plus sensibles que d'autres à ce genre d'influence extérieure. Par exemple, il y a ceux qui montrent une tendance forte à être connectés, reliés aux autres ou intégrés à un groupe, c'est ce que l'on appelle des *personnalités interdépendantes.*

On a montré 20 visages de femmes blondes ou d'hommes bruns à deux groupes d'hommes et des femmes, puis on leur a demandé de décrire la couleur des cheveux qu'ils avaient vus. Un groupe témoin n'a vu aucun visage. On leur a ensuite demandé de participer à un QCM, un questionnaire à choix multiples, sur des questions de culture générale. Ceux qui avaient vu les visages de femmes blondes, et dont les personnalités avaient été évaluées avant le test comme étant *interdépendantes*, ont obtenu des résultats plus faibles que ceux du groupe « cheveux bruns » et ceux du groupe témoin. La conclusion fut que *l'effet blonde* exerce une influence réelle et mesurable sur certaines personnes (Bry *et al.*).

Certains suggèrent que le stéréotype de la blonde est un moyen qu'ont trouvé les hommes, et les brunes qui se sentent menacées par l'attrait qu'exercent les blondes, pour dévaloriser et dévaluer le pouvoir des femmes blondes (Pitman, 2003).

Si tel est le cas, les blagues sur les blondes ne sont pas près de s'arrêter.

C'est peut-être vrai que les brunes sont tellement jalouses qu'elles adorent faire des blagues sur les blondes. À propos, je me demande si elles connaissent celle-là :

Question : Pourquoi est-ce que les blagues sur les blondes sont si courtes ?

Réponse : Pour que les brunes arrivent à s'en souvenir.

Lire aussi : Les hommes préfèrent les blondes ; Recherche jolie femme – Recherche homme bonne situation ; La rousse sulfureuse.

Les femmes sont émotives

Le mot décrivant un état émotionnel extrême est *hystérie*, qui vient du grec *hustera* (qui signifie utérus). Par définition, l'hystérie est donc exclusivement féminine. Dans les tests, 90 % des personnes interrogées utilisent le mot *émotif* plus fréquemment pour décrire les femmes que pour qualifier les hommes. Le cliché selon lequel les femmes sont plus émotives que les hommes est donc à la fois ancien et très répandu.

Une des explications tiendrait dans le fait que les femmes ont plus de prolactine, une hormone qui est présente dans les larmes. Il est vrai également que le canal lacrymal des femmes est fait différemment de celui des hommes. Mais est-ce la cause ou la conséquence d'une plus grande abondance de larmes ? Le taux plus élevé des dépressions féminines – qui selon certains serait dû à la façon dont se comportent les hommes avec elles – pourrait en tout cas expliquer le fait qu'elles pleurent plus souvent.

Toutefois, s'il y a une raison biologique, celle-ci n'a pas d'incidence avant la puberté car dans la petite enfance, les filles et les garçons pleurent approximativement autant les uns que les autres. En revanche, après la puberté, les filles pleurent davantage que les garçons. À 18 ans, elles pleurent quatre fois plus que les garçons du même âge (Witchalls, 2003).

Une explication possible serait qu'en Occident, on encourage les garçons à être forts et coriaces et les filles à être aimantes et attentionnées. L'émotivité féminine pourrait donc être la conséquence logique du type de comportement que l'on attend de la part d'une femme. Une personne qui ne se comporte pas selon le stéréotype de son sexe, par exemple un homme qui pleure ou une femme qui domine, attirera davantage l'attention et paraîtra plus sincère qu'un autre qui agit conformément au cliché. Alors qu'une femme qui pleure est souvent considérée comme une pleurnicheuse qui en fait trop, un homme qui pleure est perçu comme quelqu'un de rare et d'honnête qui a le courage de montrer ses sentiments et dont le chagrin est pris davantage au sérieux. C'était le cas tout au moins jusqu'en 1990, lorsque le footballeur Paul Gascoigne a pleuré toutes les larmes de son corps lors de la Coupe du Monde en Italie, donnant ainsi l'autorisation à tous les hommes de pleurer en public.

D'après Ron Levant, professeur à l'université d'Harvard, les hommes occidentaux seraient victimes d'un processus de socialisation qui handicaperait leur développement émotionnel. D'après lui, alors que la femme posséderait un large choix de réponses émotionnelles et serait ainsi capable de comprendre les sentiments et les points de vue des autres, ce que l'on appelle *l'empathie émotionnelle*, les hommes seraient, en revanche, plus enclins à agir et résoudre les problèmes, et ne développeraient donc qu'une *empathie dans l'action.* D'après Levant, la plupart des hommes n'ont que deux réponses aux problèmes émotionnels qu'ils rencontrent : pour régler ceux qui les rendent vulnérables, comme la peur ou la honte, ils utilisent la colère, et pour régler ceux qui touchent à l'affectif, comme l'amour ou l'intimité, ils trouvent la réponse dans la sexualité. Le stéréotype du mâle traditionnel si courant en Occident conforte cette tendance : le cow-boy Marlboro, les héros de cinéma, les sportifs, les pères qui ont l'esprit de compétition... autant de modèles encourageant le cliché du *vrai mec*, et chaque petit garçon qui *dévie* du droit chemin court alors le risque d'être ridicule, moqué et isolé de ses pairs (Levant, 1997).

L'une des raisons pour lesquelles les femmes sont considérées comme étant plus émotives que les hommes tient aussi à la façon dont fonctionne leur mémoire.

Elles se souviennent plus rapidement, avec plus d'intensité et plus de détails que leurs compagnons des faits marquants de leurs vies en relation avec les sentiments, comme le premier rendez-vous, les dernières vacances ou la dernière dispute (Fujita *et al.*, 1991).

À cela, deux explication possibles : la première est l'hypothèse de *l'effet intensité* qui suggère que les femmes engrangent leurs souvenirs mieux que les hommes parce qu'elles vivent plus intensément ; la seconde est l'hypothèse du *style cognitif*, selon laquelle il est probable que les femmes enregistrent, répètent et réfléchissent aux émotions qui sont en relation avec le vécu, ce qui aide à accroître et à consolider la mémoire.

On a demandé à 12 hommes et 12 femmes de regarder 96 photos d'intensité émotionnelle variée, allant d'une simple couverture de livre n'évoquant rien de particulier jusqu'à l'image, lourde en émotion, d'un cadavre. Trois semaines plus tard, après avoir placé les participants sous scanner cérébral, on leur a demandé de se souvenir des images qu'ils avaient vues. Il est apparu que les femmes se sont davantage rappelé que les hommes – plus 15 % – les images émouvantes. L'expérience a également montré que les deux parties du cerveau utilisées séparément pour le processus émotionnel et la fabrication des souvenirs semblent se chevaucher davantage chez les femmes que chez les hommes. La raison pour laquelle les femmes se rappellent mieux les événements sentimentaux ou émouvants aurait donc une cause biologique, mais il est aussi possible que cette différence de fonctionnement du système cérébral soit une réponse à un processus de socialisation culturel et s'apparenterait donc plus à une conséquence qu'à une cause. Il est néanmoins intéressant de noter que la science est en train de prouver ce que les femmes savaient depuis des années : elles aiment se remémorer plus que les hommes leurs émotions et leur passé (Canli *et al.*, 2002).

La fameuse émotivité des femmes peut aussi être mise sur le compte des changements physiologiques qui affectent leurs cycles menstruels. Plus d'un homme s'est déjà demandé secrètement si le remontage de bretelles dont il venait de faire les frais, n'était pas simplement dû à « la mauvaise période du mois » : 90 % des femmes souffrent en effet du syndrome prémenstruel, le SPM, ou de la migraine prémenstruelle ; 30 % pensent que ce SPM a un effet négatif significatif et entre 5 et 10 % estiment que cet effet est sévère.

Plus d'une centaine de symptômes sont associés au SPM, les plus courants étant ceux qui affectent les émotions, provoquant irritabilité, sautes d'humeur, dépression et crises de larmes inexpliquées (Owen, 2005).

Quoi qu'il en soit, le SPM est un sujet extrêmement controversé. Des universitaires féministes soutiennent que c'est en fait un fonctionnement normal qui ne doit pas être qualifié de désordre, et soulignent que l'on n'a jamais autant parlé de SPM que depuis que les femmes ont investi largement le marché du travail. Elles pensent aussi que le syndrome prémenstruel est utilisé par les hommes comme un moyen de *contrôle social* leur permettant de soumettre et de stéréotyper les femmes sous l'étiquette du *sexe faible.*

Dans certaines sociétés, les règles sont considérées plus positivement que dans la plupart des cultures occidentales. C'est la même chose pour le SPM, dont ni le diagnostic ni la définition ne sont universels et qui est surtout une création de l'Occident : bien que certaines cultures reconnaissent l'influence du cycle féminin sur le caractère, ce n'est pas répertorié ou classifié comme un syndrome. Les psychologues sont divisés sur la question d'étiqueter ou non le SPM. Des psychologues féministes (Caplan, 1995) pensent que cela conduirait à stigmatiser inutilement les femmes, en impliquant qu'elles sont mentalement *incontrôlables* une fois par mois. D'autres psychologues croient au contraire que cela aiderait chacun d'entre nous à comprendre la sévérité des symptômes. Une étude surprenante (évoquée par Aubeeluck lors d'une conférence de la British Psychological Society en 2004) prétend que les hommes eux aussi souffrent de sautes d'humeur mensuelles. On a demandé à 50 hommes et 50 femmes de remplir un questionnaire évaluant une gamme de symptômes habituellement liés au symptôme prémenstruel. Les hommes ont mentionné au moins autant de symptômes que les femmes mais en en attribuant les effets à d'autres causes. Il y aurait deux conclusions possibles : les femmes ne souffrent pas de SPM et/ou les hommes eux aussi subissent des troubles cycliques mensuels qui n'ont pas encore été diagnostiqués.

On pourrait suggérer une troisième piste : les symptômes mentionnés par les hommes seraient en quelque sorte une réaction à ceux de leur partenaire.

En conclusion, il est clair que, pour quelque raison que ce soit, les femmes montrent plus leurs sentiments que les hommes. Quoi qu'il en soit, ces derniers peuvent apprendre à être plus démonstratifs et davantage conscients de leurs sentiments.

En fait, l'intelligence émotionnelle sera bientôt considérée comme une condition préalable et nécessaire à une vie réussie car à notre époque, les hommes ne peuvent plus se contenter de sortir de chez eux, d'aller à la chasse et de ramener du gibier pour nourrir leur famille. De nos jours, il est essentiel de savoir travailler en équipe, de savoir écouter les autres, de tenir compte du point de vue de chacun au sein d'un groupe et d'entretenir un rapport personnel avec ses collègues de travail, comme de dialoguer réellement avec son partenaire et avec ses enfants.

Le chien est le meilleur ami de l'homme

J'ai une chienne colley labrador qui répond au nom de Maisie. Toute la famille l'adore et lorsqu'elle a failli mourir après avoir ingurgité un morceau de chocolat qu'elle avait volé, cela m'a brisé le cœur – et pas seulement à cause de la note du vétérinaire.

On sait pourtant que parfois les chiens attaquent et tuent des gens, qu'ils ne sentent pas toujours très bon, qu'ils peuvent blesser de jeunes enfants en les renversant, et qu'ils peuvent vous causer beaucoup de gêne en se prenant d'affection pour la jambe de votre grand-tante au beau milieu d'une réunion de famille le soir de Noël...

Certains prétendent que le chien est le meilleur ami de l'homme, mais au fond, se comporte-t-il réellement comme tel ?

On sait très bien pourquoi les chiens sont révérés à ce point : en général, ils sont affectueux, intelligents et loyaux jusqu'à la dévotion. Les recherches scientifiques ont aussi prouvé que les propriétaires de chiens, en tant qu'animaux de compagnie, sont en général plus heureux et en meilleure santé que les autres. Se balader avec son chien procure une détente agréable après le stress et les tensions d'une journée de travail, cela peut aussi permettre de se faire des relations. Qu'y a-t-il de plus relaxant que de marcher avec son fidèle compagnon le long de la plage, ou de simplement galoper derrière lui autour du pâté de maisons ?

Les chiens nous aiment d'un amour inconditionnel et participent à notre bien-être affectif, leur présence peut aider à se remettre d'un deuil. On a démontré que les propriétaires de chiens ont un système immunitaire plus robuste.

Je sais que certains d'entre vous se demandent si les autres compagnons à deux ou quatre pattes peuvent également apporter toutes ces joies à leurs propriétaires… La réponse est : probablement pas. Bien que les amoureux des chats prétendent le contraire, il n'existe aucune preuve en ce sens, sans doute parce que tout simplement, avec toutes ces balades obligées, les propriétaires de chiens sont plus actifs et moins gros que les propriétaires de chats.

On ne connaît pas exactement l'origine de l'expression « le meilleur ami de l'homme », bien qu'on l'attribue en général au sénateur du Missouri George Graham Vest (1830-1904) qui, avant d'entrer au Congrès, était un éminent avocat. (À cette époque, les politiciens menaient des carrières utiles avant d'entrer dans la vie publique.) Lors d'un procès concernant un homme qui avait tué le chien de son voisin, George Graham Vest avait prononcé la fameuse *Oraison Funèbre du chien* dans laquelle il disait :

> Le seul ami totalement désintéressé que l'homme puisse avoir dans ce monde égoïste, le seul qui ne le trahira jamais, le seul qui ne se montrera jamais avec lui ni tricheur ni ingrat, c'est son chien.
>
> Congressional Record, 1914.

Avec le temps, ces mots se sont réduits à leur plus simple expression : le chien est le meilleur ami de l'homme. Voilà comment est né le stéréotype du bon chien fidèle.

Le dicton s'applique, évidemment, autant aux femmes qu'aux hommes. En fait, il semble que les chiens soient davantage considérés par les femmes que par les hommes. D'après une enquête menée aux États-Unis, 56 % des femmes sondées, contre 41 % des hommes, jugent leur chien plus affectueux que leur partenaire ; 45 % des femmes, contre 24 % des hommes, trouvent leur chien plus mignon et attachant que leur partenaire. Plus de femmes que d'hommes déclarent avoir un lien affectif plus fort avec leur animal. Presque toutes les femmes (99 %, contre 95 % d'hommes) déclarent parler fréquemment à leur chien (Bizrate Survey, 2005).

Ces résultats surprenants suggèrent que le chien est en fait le meilleur ami… de la femme !

Maintenant, allons voir de plus près d'autres enquêtes sur le sujet pour comprendre les preuves objectives concernant la relation particulière entre les chiens et les humains. Sans l'ombre d'un doute, la recherche renforce notre intuition que les chiens sont de bons compagnons pour les hommes. Une simple visite de douze minutes d'un bénévole accompagné d'un chien auprès d'un malade hospitalisé a des effets positifs clairement identifiés sur ce patient (Laino, 2005). L'expérience, exposée lors d'une session scientifique de l'Association américaine de cardiologie en 2005, impliquait trois groupes de malades. Le premier reçut la visite d'un bénévole et de son chien spécialement entraîné, choisi parmi une douzaine de races. Celui-ci se coucha sur le lit des patients afin que ces derniers puissent le toucher tout en communiquant avec son maître. L'enregistrement des paramètres témoins de l'anxiété de ces malades, tels que la pression sanguine, le rythme cardiaque et la résistance des vaisseaux sanguins, a montré que le niveau d'angoisse avait diminué de 24 % après la visite. Les malades qui n'avaient reçu que la viste d'un bénévole sans chien ont vu le niveau de stress chuter de 10 % seulement. Quant aux malades qui n'avaient reçu aucune visite, le niveau est resté stable. Le niveau d'adrénaline, l'hormone du stress, chuta en moyenne de 17 % dans le groupe des malades ayant reçu la visite du bénévole avec son chien, et de 2 % dans le groupe du bénévole tout seul, alors qu'il augmenta en moyenne de 7 % dans le dernier groupe. Tous les enregistrements montrèrent que les patients participaient davantage au processus de guérison quand un chien était impliqué dans le traitement.

Ces découvertes furent renforcées par une autre étude (Banks, 2006) qui prouva que des malades soignés à leur domicile souffraient beaucoup moins de solitude lorsqu'ils vivaient en compagnie d'un chien qu'après avoir reçu une simple visite d'une personne accompagnée d'un animal. Il démontra également que ce sont les personnes les plus isolées qui profitèrent le plus de la visite du chien et de son maître. Bien entendu, les chiens peuvent également jouer un rôle plus directement thérapeutique – en aidant les non-voyants à se diriger, en assistant dans les gestes de la vie courante des personnes handicapées, par exemple. Ils sont aussi utilisés par la police, par les services de sécurité des aéroports, comme chiens renifleurs pour détecter la présence de drogue. Certaines races, comme les saint-bernard, sont spécialement entraînées pour porter secours aux victimes d'avalanches, de tremblements de terre ou de l'explosion d'une bombe : grâce à leur odorat supérieurement développé, ils obtiennent de meilleurs résultats que les humains.

Mais les chiens n'apportent pas seulement une aide en cas de problème ou d'urgence : les chiens de garde, les chiens de chasse et les chiens de traîneau jouent un grand rôle dans la vie des hommes. Ils prennent aussi une part active dans la recherche scientifique.

En fait, ils ont même joué un rôle essentiel dans l'une des recherches les plus célèbres qui fut menée pour comprendre les mécanismes de l'apprentissage. Alors qu'il étudiait le système digestif des chiens, le physiologiste russe Ivan Pavlov (1849-1936) constata que ses chiens de laboratoire avaient appris à saliver en entendant le bruit des pas de l'homme qui les nourrissait chaque jour (Pavlov, 1927). Ce processus d'apprentissage, que Pavlov a nommé *le conditionnement classique*, ou encore *l'apprentissage par association*, se produit également chez les humains – c'est pourquoi la simple publicité pour telle marque de boisson peut vous donner soif.

Quelle autre explication peut-il y avoir pour justifier que le chien soit le meilleur ami de l'homme ?

Cela fait au moins 15 000 ans que les hommes et les chiens cohabitent, c'est sans doute la principale raison de la longue amitié entre les deux espèces. Pendant toutes ces années, les humains ont soigneusement sélectionné les races et encouragé des traits de caractère particuliers comme l'endurance et la sociabilité. Ceux qui faisaient preuve de ces qualités étaient choisis comme reproducteurs, ce qui fait que ce sont les caractéristiques les plus utiles aux hommes que l'on retrouve le plus souvent dans le patrimoine génétique des chiens. En outre, 94 % d'une séquence génétique canine est la même que la nôtre (Biello, 2005).

Pourtant, sur le plan génétique, les chimpanzés sont plus proches de nous, et le cerveau des loups est plus gros que celui des chiens. Nous ne devrions pas attendre autant de performances de la part des chiens sur le plan des techniques de communication. Mais les chercheurs ont examiné les aptitudes des loups, des chimpanzés et des chiens domestiques et ils ont découvert que les chiens, mêmes les plus jeunes âgés de 9 semaines seulement, montraient le plus de dispositions à suivre les instructions humaines pour trouver l'emplacement de nourriture cachée. Il est probable que la sélection opérée au fil du temps dans les races canines a encouragé les chiens à développer des caractéristiques appréciées et recherchées des hommes, et notamment la capacité à comprendre et à suivre les instructions données. La *sélection évolutionniste* est le processus par lequel certains individus, grâce à leur nombreuse progéniture, contribuent plus que d'autres à la nouvelle génération (*The Chambers Dictionary*, Chambers, 2008). Il est évident que ce qui nous attire et ce qui ne nous plaît pas, c'est-à-dire nos goûts et nos dégoûts, ont été façonnés par *la sélection naturelle* et l'évolution. Si le sucre, par exemple, est perçu comme quelque chose de suave, de doux et donc d'agréable, c'est parce que ceux de nos ancêtres qui consommaient des fruits sucrés en tiraient de l'énergie et des vitamines et donc une bonne santé, au contraire de ceux qui n'en consommaient pas et mouraient plus jeunes. Cela suggère que l'influence de la sélection naturelle sur l'évolution des chiens parallèlement à celle des hommes, a favorisé une série de qualités, en particulier comportementales, qui créent un lien unique entre humains et canins (Walton, 2002).

Cette relation privilégiée s'est vérifiée dans de nombreuses situations, dont certaines ont mis en scène de jeunes enfants surveillés par des chiens. En 2005, une petite fille qui venait de naître a été enlevée et abandonnée dans un sac en plastique dans la forêt de Lenana, près de Nairobi au Kenya. Deux jours plus tard, des voisins signalèrent à la police la présence d'un chien qui marchait le long d'une route en transportant un bébé dans sa gueule. On découvrit finalement le bébé, confortablement niché au milieu de la portée de chiots que la chienne avait mis au monde quelques jours plus tôt. La chienne avait pris soin de son mieux de la petite fille, qui fut conduite à l'hôpital et se tira de l'aventure sans dommage (Reagan, 2005).

L'histoire d'Ivan Mishukov est encore plus incroyable. Dans les années 1980, cet enfant de 6 ans quitta sa mère alcoolique et le petit ami de celle-ci, préférant se débrouiller tout seul dans les rues de Reutova, à l'ouest de Moscou. Ivan gagna la confiance d'une troupe de chiens sauvages en volant de la nourriture pour eux. Il passa ainsi deux ans au milieu de la meute, sous un climat particulièrement rude, où les températures descendent en hiver jusqu'à -30 °C. Lorsque la police essaya de sauver le gamin, les chiens le défendirent mais les policiers parvinrent à détourner leur attention en se servant d'un restaurant voisin comme d'un piège. Ivan fut sauvé, reprit une vie et une scolarité normales (Newton, 2002).

Ces exemples, choisis parmi beaucoup d'autres, démontrent le lien particulier unissant les hommes et les chiens.

Le discernement et l'entendement du chien ont bien sûr leurs limites.

D'aucuns prétendent que leur chien a un sixième sens et devinent le moment où leur maître va revenir à la maison.

En 1994, la télévision britannique, alléchée par les dires du propriétaire d'un chien qui affirmait que son animal était extraordinaire et avait ce fameux sens de la divination, décida de filmer l'animal. Cette histoire fit grand bruit et éveilla évidemment l'intérêt des téléspectateurs jusqu'à ce que des psychologues rabat-joie ne s'en mêlent et testent eux-mêmes le chien. Après quatre tests scientifiques dûment contrôlés, il fut démontré que Jaytee, le chien en question, ne percevait aucun indice du retour imminent de son maître à la maison (Wiseman *et al.,* 1998).

Je suis sûr qu'un chien peut devenir le meilleur ami d'un homme. Mais cette amitié peut aussi être fatale à son maître. Prenons le cas d'un chien qui a l'habitude de se balader sur un étang gelé et qui passe à travers la glace. Son maître meurt en essayant de sauver le chien qui, lui, sort de l'eau glacée indemne, un peu plus loin.

Lorsque notre bon chien fidèle arrive à la fin de sa vie, nous lui prouvons notre profond attachement en prenant soin de lui et sa mort peut être ressentie aussi douloureusement que celle d'un membre de la famille (Morey, 2006).

Nous sommes plus enclins à enterrer nos chiens que nos autres animaux familiers, c'est du reste une tradition très ancienne qui remonte a environ 12 000 à 14 000 ans et cette relation privilégiée entre nos deux espèces prouve que si le chien est le meilleur ami de l'homme, la réciproque est sûrement vraie.

Les supporters de foot sont des hooligans

Le football est le sport le plus populaire en Angleterre (Williams, 2001). Malheureusement pour les amateurs qui sont, en grande majorité, pacifiques, de nombreux supporters anglais sont considérés comme des vandales ne demandant qu'à en découdre avec les supporters des équipes adverses. Bien que les débuts du hooliganisme dans le football remontent au XIXe siècle, le public et les médias ne prirent réellement conscience de ce phénomène que dans les années 1960. Celui-ci connut un pic de magnitude en 1985 lorsque les supporters de Liverpool attaquèrent ceux de la Juventus de Turin au stade du Heysel à Bruxelles, provoquant la mort de 39 personnes. Pendant les cinq années qui suivirent, les équipes anglaises furent bannies de toutes les compétitions européennes.

Le hooliganisme dans le football est aussi appelé *la maladie anglaise*. De nombreux autres pays, comme l'Allemagne, la Hollande, la Turquie, l'Italie et la France, souffrent aussi de la violence des spectateurs des matchs de foot, mais le supporter anglais reste l'incarnation vivante du hooliganisme et cela pour trois raisons : à cause de la longue histoire de la brutalité dans les stades anglais, parce que en se déplaçant en Europe, les équipes anglaises ont exporté leurs hooligans, et parce que le spectacle de la violence est désormais associé à l'équipe nationale d'Angleterre (Dunning *et al.*, 1988).

Conséquence : les ornements portés par les supporters anglais, comme la croix de Saint-George ou le tee-shirt de la Fédération de football, ont été peu à peu associés aux troubles et à la sauvagerie.

Des spécialistes en sciences humaines ont comparé l'évolution du comportement des foules dans des contextes sportifs et non sportifs sur une centaine d'années et ont élaboré de nombreuses théories psychologiques pour tenter d'apporter une explication à ce phénomène. L'un des premiers théoriciens, Gustave Le Bon (1841-1931), écrivit qu'« un individu dans une foule descend plusieurs barreaux dans l'échelle de la civilisation ». Selon lui, il est possible que, noyé dans la foule et soumis à l'anonymat – appelé plus tard désindividualisation –, on ait moins conscience de ses propres actions. Cette perte du sens des responsabilités pourrait provoquer des comportements violents. C'est la pensée collective qui prendrait le pouvoir et qui amènerait la foule à agir comme un seul homme. Cette théorie de la contagion suggère que le phénomène de masse provoque des comportements particuliers.

Un des problèmes que pose cette théorie, c'est que la désindividualisation dans une situation de foule ne conduit pas systématiquement à un comportement antisocial. En témoignent l'attitude pacifique et bon enfant des foules immenses qui se rassemblent pour des festivals de musique, ou encore les centaines de badauds émus et recueillis qui ont suivi le cortège funèbre de la princesse Diana en 1997.

Il existe un autre point de vue, plus moderne, sur le comportement des foules baptisé « théorie de la convergence ». Il consiste à dire que les gens qui ont la même sensibilité ont tendance à se conduire de la même façon. Dans le cas du hooliganisme dans le foot, ce n'est pas la dynamique de la foule, mais les sentiments de haine préexistants des supporters qui causeraient la violence. Autrement dit, les gens brutaux seraient attirés par le foot parce que cela procurerait un exutoire rapide à leur bestialité. Ces effets combinés à ceux de l'anonymat de la foule aggraveraient encore le phénomène.

Le comportement des foules ne serait ni irrationnel ni entièrement prévisible. Selon la théorie de la norme émergente de la psychologie des foules, il peut y avoir deux étapes : dans un premier temps, des personnes semblables se rassemblent dans un but collectif précis, par exemple pour soutenir leur équipe ; mais, au cours de l'événement, l'objectif initial change. Dans le cas du football, les raisons susceptibles d'altérer l'humeur d'une foule peuvent être le score, une décision de l'arbitre ou encore la façon dont se comporte le service d'ordre. Ainsi, des individus arrivant au stade dans un esprit de fête et prêts à vivre une belle victoire de leur équipe, peuvent se transformer au cours de la journée, à cause d'événements inattendus et fortuits (Turner et Killian, 1972).

Pourquoi le football est-il sujet au hooliganisme plus que d'autres sports ? La dynamique d'une foule est un mélange d'influences externes et internes à la foule elle-même. La théorie de l'identité sociale suggère que le comportement collectif est influencé par le ciment qui rassemble les membres du groupe (Stott et Adang, 2003). Dans le cas des supporters de football, cette identité sociale est composée à la fois de la fidélité à une équipe en particulier et des sentiments qu'ils éprouvent pour leur adversaire ; à cela s'ajoute tout ce qu'ils croient partager, comme l'histoire de leur club, des souvenirs communs d'anciens matchs et probablement un contexte, si vous me permettez d'employer un fameux stéréotype, *de machos blancs issus de la classe moyenne.* Des aspects spécifiques de l'identité sociale peuvent unir une foule même si ces aspects semblent hors de propos par rapport à la situation dans laquelle ils se trouvent. Les sentiments négatifs qu'éprouvent souvent les Écossais contre les Anglais amènent souvent les supporters du foot écossais à faire bloc contre les Anglais même lorsqu'ils n'assistent pas à un match Angleterre-Écosse.

Bien que le comportement des foules soit affecté par ce sens de l'identité sociale, il est aussi sensible à l'ambiance entre les deux groupes de supporters, c'est-à-dire à la manière dont le courant passe, et à ce que chaque groupe pense de la façon dont il a été traité. Le rôle joué par l'arbitrage et le service d'ordre, et notamment l'attitude de la police vis-à-vis des supporters, est essentiel et peut avoir une influence décisive sur les réactions d'une foule. Si les supporters sont traités comme des voyous stupides, ils risquent de se comporter comme tels (Stott et Adang, 2003).

La violence serait séduisante parce qu'elle donnerait à de nombreux supporters de foot un sentiment d'appartenance au groupe. Infliger la honte aux supporters de l'équipe adverse permettrait d'acquérir des galons et de se faire respecter (Armstrong, 1994, 1998).

Le hooliganisme serait aussi un moyen pour certains de vivre des moments d'excitation intense qui font défaut dans les autres domaines de leur vie. On pourrait ainsi établir un parallèle entre le hooliganisme dans le foot et d'autres activités à haut risque comme le fait de voler une voiture juste pour faire une virée (Gerry Finn, 1994).

On entend souvent que l'abus de consommation d'alcool explique ce type de comportement, mais bien que cela joue évidemment un rôle dans de nombreux incidents, le football n'est pas le seul sport autour duquel circule une grande quantité d'alcool : cela se produit également dans le rugby et le cricket, sports dans lesquels le hooliganisme est extrêmement rare. D'autant plus que boire de l'alcool est souvent interdit dans et aux alentours de nombreux stades de football. Les supporters de certaines équipes, le Danemark par exemple, sont célèbres pour leur consommation d'alcool lors de matchs, mais ils sont aussi connus pour être les amateurs de foot les moins violents des dernières années.

Les facteurs à l'origine du hooliganisme dans le football sont variés, complexes et partiellement compris. Certains avancent que la violence serait un rituel planifié à l'avance et délibérément organisé par des meneurs (Marsh *et al.*, 1978) mais les faits prouvent que les hooligans eux-mêmes ne savent souvent pas à l'avance ce qui va se passer. Étant donné le nombre très important d'amateurs de foot au Royaume-Uni et le fait que la plupart des spectateurs sont fidèles à une équipe en particulier, il y a toujours un risque qu'une petite minorité crée des troubles, mais la grande majorité des amoureux du ballon rond affichent leur rivalité dans la joie et la bonne humeur.

Le hooliganisme dans le football n'est certainement pas l'apanage de l'Angleterre et notre compréhension du phénomène montre que cela concerne en général des hommes jeunes de toutes nationalités agissant de façon prévisible. D'un autre côté, il est difficile de s'enlever de l'idée que les individus qui provoquent des troubles savent que les attitudes tribales des supporters de foot créent une atmosphère qui peut conduire à la violence. Lorsque l'Angleterre n'arrive pas à se qualifier pour une compétition majeure, on dirait que le ciel du pays tout entier s'obscurcit. Le bon côté de la chose, c'est que les supporters restant à la maison, ils ne jetteront pas, pour une fois, le discrédit sur le pays.

LES CLOWNS SONT DRÔLES

Cela fait des milliers d'années que les clowns existent, on les retrouve à travers l'histoire, à travers les âges et dans la plupart des cultures. L'un des plus anciens remonte à la Ve dynastie égyptienne, 2 500 ans av. J.-C.

Dans le passé, un clown était un sage commentateur du fait social et parfois la seule personne qui avait le droit de poser des questions ou de remettre en cause les règles de fonctionnement de la société.

Quelques pièces de Shakespeare, *Le Roi Lear* par exemple, montrent clairement que le bouffon, que l'on appelait le fou du roi, était capable de briser les conventions afin de révéler des vérités, formulant souvent d'astucieuses et perspicaces réflexions sur les affaires de l'État. Les émissions télévisées satiriques d'aujourd'hui s'inscrivent dans cette grande tradition clownesque. Le fait que nos dirigeants n'y attachent aucune attention est une autre question. C'est Joseph Grimaldi (1778-1837) qui inventa ce qui est devenu le stéréotype du clown moderne : un personnage au visage blanc, au nez rouge et au sourire exagéré. Il obtint un tel succès que son surnom, Joey, est encore utilisé pour désigner un clown.

Aujourd'hui, on ne voit plus les clowns comme une source de sagesse, leur rôle est davantage celui d'un amuseur et d'un boute-en-train. On a coutume de dire que les clowns nous font rire et sont drôles. Mais sont-ils vraiment perçus ainsi ? La réponse est non. Étonnamment, les clowns sont étiquetés de deux façons opposées : on les juge à la fois amusants et terrifiants. L'apparence d'un clown exagère certains caractères humains et pas seulement les traits et les expressions du visage, mais aussi d'autres parties du corps comme les pieds et les mains qui sont parfois immenses. Bien que le but de ces exagérations soit de faire rire, elles peuvent être perçues comme de monstrueuses difformités. Mon ami Lloyd déteste les clowns et il semble bien qu'il ne soit pas le seul. La phobie des clowns représente 8 % de toutes les phobies ; elle a même un nom : la coulrophobie.

Sans être coulrophobiques, de nombreuses personnes trouvent les clowns repoussants, comme cet homme qui, en 2007, tira sur deux clowns au beau milieu d'un spectacle de cirque à Cúcuta, en Colombie, et les tua. Au début, le public avait cru que cela faisait partie du numéro avant de comprendre que ce n'était pas drôle du tout (BBC News, 2007).

À cet égard, Hollywood a joué un rôle important, en mettant en scène, dans de nombreux films, des personnages de clowns effrayants et commettant toutes sortes d'atrocités. Mis à part le Joker du film *Batman*, qui ne fait pas trop peur, l'exemple sans doute le plus connu de clown vraiment terrifiant est le fameux Pennywise de Stephen King. Dans *Ça*, le film d'horreur à vous glacer le sang, tiré du roman du même nom paru en 1986 et réalisé par Tommy Lee Wallace en 1990, Pennywise kidnappe des enfants pour les dévorer dans les égouts. Même le personnage de Bart Simpson dans le dessin animé américain *Les Simpson* a été traumatisé puisqu'il dit qu'il n'arrive pas à dormir de peur d'être mangé par le clown.

De nombreux enfants trouvent les clowns à la fois bizarres et angoissants. On a montré des photos de clowns à 250 enfants âgés de 4 à 6 ans. Conclusion : les enfants ne les aiment pas parce qu'ils ne sont pas reconnaissables et sont même effrayants (Penny Curtis, Sheffield University).

La psychologue Patricia Doorbar renchérit : « Très peu d'enfants aiment les clowns. Ce sont des inconnus qui viennent d'une autre époque. Ils n'ont pas l'air drôles mais plutôt bizarres. » (BBC News, 2008).

Des psychologues ont suggéré que la peur des clowns peut se mettre en place assez tôt, au moment où l'enfant commence à percevoir et à comprendre les expressions du visage. Le grand sourire bête du clown ne change pas en fonction des circonstances et on comprend facilement qu'il puisse faire peur à un enfant qui ignore comment l'interpréter (Rohrer, 2008).

Cette peur enfantine peut se prolonger jusqu'à la vie adulte, surtout si elle a été alimentée par des films d'horreur, notamment à l'adolescence, période où l'on est particulièrement vulnérable et impressionnable.

Étant entendu que la plupart des enfants trouvent les clowns sinistres et macabres, il est étonnant que ces derniers soient souvent employés dans les hôpitaux pour réconforter les jeunes malades.

On a examiné le lien entre l'humour, le stress et le taux de mortalité et si l'humour a évidemment une incidence positive et peut aider à minimiser une crise, les auteurs de cette étude ne se disent pas convaincus par l'idée d'envoyer des clowns dans les hôpitaux (Svebak, 2006).

Les gens réagissent à l'humour de multiples façons : comportementales (selon que l'on a ou non la capacité à le comprendre, c'est le fameux sens de l'humour), sociales (selon que l'on a ou non la capacité à se laisser embarquer dans une histoire drôle) ou encore affectives (quand on a le rire et le sourire faciles). La relation avec un clown s'opérerait sur le plan affectif seulement et c'est pour cela que cela ne marche pas à tous les coups. Sans compter que l'apparition d'un type bizarre avec un gros nez rouge n'amuse pas forcément un enfant.

De nombreux clowns travaillant dans les hôpitaux ont parfaitement conscience que certains enfants les trouvent effrayants, ils essaient donc d'adapter leur comportement en fonction de cela. Mais il est peut-être temps de prendre conscience du fait que l'expression *faire le clown* est plus souvent employée pour décrire une personne stupide et ennuyeuse que quelqu'un de drôle.

Les hommes préfèrent les blondes

D'après les études existant sur le sujet, quand les hommes recherchent une partenaire, ils fixent en premier lieu leur attention sur le physique.

Pour savoir si les hommes préfèrent les blondes, on a ainsi catégorisé la couleur des cheveux des mannequins faisant la couverture de *Vogue*, *Ladie's home journal* et *Playboy*, de 1950 à 1980. On a comparé la fréquence du nombre de blondes sur ces magazines à celles de femmes blondes dans la population de type caucasien. Conclusion : il y en a plus dans les magazines qu'il n'y en a réellement dans la population.

Et il y a plus de blondes que de brunes ou de rousses dans les pages centrales de *Playboy*, surtout dans les années 1970. Apparemment, les lecteurs de *Playboy* préfèrent les blondes… (Rich et Cash, 1993).

On a également testé l'influence de la couleur de cheveux sur la perception que l'on a de l'âge d'une femme et sur sa séduction. Le résultat montre sans aucun doute que la blondeur est considérée comme un facteur de jeunesse, les femmes blondes de plus de 25 ans étant jugées plus attirantes par les hommes de tous âges. Ce fait a une logique. Les hommes veulent épouser des femmes plus jeunes qu'eux et les cheveux sont un des indicateurs de la jeunesse et de la santé. Comme les cheveux poussent relativement lentement, une belle chevelure est un signe de bonne santé. D'où le fait que de nombreuses femmes font tout leur possible pour porter les cheveux aux épaules (Sorokowski, 2006).

Mais pourquoi le blond ? Le blond est une couleur unique en ce sens que si l'on naît blond, on ne le reste pas forcément toute sa vie, la chevelure des blonds tirant davantage sur le châtain au milieu de la vie. Les hommes qui choisissent une femme blonde indiquent inconsciemment un attrait pour la jeunesse, et une femme jeune est plus susceptible d'être en bonne santé et fertile.

C'est le même concept de la sélection naturelle ou évolutionniste, développé dans le chapitre « Le chien est le meilleur ami de l'homme », qui s'applique ici.

Ce n'est pas une coïncidence si la sélection naturelle en Scandinavie et dans les pays de l'Europe du Nord a favorisé les blondes. Dans cette partie du monde, le climat a contraint les femmes à s'enfouir sous plusieurs couches de peaux de bêtes. Les cheveux blonds étant le signe distinctif visible de la jeunesse et de la bonne santé, les femmes des cavernes arborant une chevelure blonde étaient plus repérables et donc choisies en priorité par rapport aux autres. Les hommes qui élisaient de jeunes partenaires blondes avaient plus de chance d'avoir une descendance que ceux qui choisissaient une partenaire plus âgée.

Voilà pourquoi la préférence héréditaire pour les cheveux blonds, l'association blond égale jeunesse et la prévalence de l'attractivité des cheveux blonds sur les autres couleurs, ont été perpétués tout au long des siècles et perdurent encore aujourd'hui.

Bien entendu, les femmes des cavernes ne pouvaient pas maintenir la blondeur de leurs cheveux alors qu'aujourd'hui, on peut adopter la couleur de son choix. Peut-être que la psychologie masculine n'a pas évolué aussi vite que l'industrie capillaire : à un niveau inconscient, on se laisse prendre par une teinture qui n'existait pas autrefois (adapté de Miller et Kanazawa, 2007).

Il y a 11 000 ans, à la fin de l'ère glaciaire, nos ancêtres vivant dans l'actuelle Europe du Nord se nourrissaient essentiellement de la viande des mammouths, des rennes et des bisons. La chasse était extrêmement risquée et dangereuse et de nombreux hommes y laissaient la vie. Conséquence : il y avait plus de femmes que d'hommes et la concurrence devint rude entre les femmes pour attirer l'attention des mâles. Selon l'anthropologue canadien Peter Frost, le nombre d'individus à cheveux blonds et aux yeux bleus aurait augmenté notablement à cette époque. Permettant au début de distinguer certaines femmes de leurs rivales, les couleurs les plus claires, qui étaient considérées comme des caractères rares, devinrent peu à peu plus populaires et leur nombre augmenta considérablement. Signalons également l'hypothèse selon laquelle les cheveux blonds indiqueraient aussi un fort taux d'œstrogènes, indicateurs de fertilité (Frost, 2006).

Cette théorie pose cependant un certain nombre de problèmes.

Un homme en bonne santé peut se reproduire avec de nombreuses femmes et on sait que la monogamie au sens strict n'était pas pratiquée dans les cultures les plus anciennes.

Même si les mâles étaient moins nombreux que les femmes dans un groupe donné, il n'y a donc pas de raison pour que celles-ci aient été en compétition. Par ailleurs, dans le monde animal, il est rare que les femelles s'ornent de parures pour séduire le meilleur mâle. Ce sont au contraire les mâles qui se parent de plumes colorées, ou de grands bois, et se battent entre eux pour conquérir les femelles.

Quoi qu'il en soit, les scientifiques pensent qu'un changement qui se produit dans le cours du processus d'évolution met environ 850 000 ans à s'établir.

Apparemment, les hommes préfèrent les couleurs de cheveux les plus rares, que ce soit brun ou blond. On a montré trois séries de diapos représentant des femmes séduisantes à des hommes. La première série montrait six femmes brunes, la seconde une brune et cinq blondes et la troisième, une brune et onze blondes. On a demandé ensuite aux hommes d'indiquer dans chacune des séries, laquelle de ces femmes ils choisiraient comme épouse. Résultat ? La préférence pour la brune augmenta fortement en fonction de la rareté de sa couleur au milieu de son groupe. On suppose que si les blondes avaient été minoritaires, elles auraient été choisies. On peut en conclure que plus la couleur est rare, plus elle est attirante. Parlez-en à une rousse ! (Thomas Thelen, 1983).

Est-ce que le fait d'être blonde est un avantage dans certaines situations ? Les gens sont-ils plus aimables avec les blondes et leur apportent-ils plus d'aide et d'assistance dans la rue ? Deux hommes et deux femmes enquêteurs ont arrêté 72 hommes et 72 femmes dans la rue en leur demandant un renseignement ou de l'aide. Dans la moitié des cas, les enquêteurs portaient une perruque brune, dans l'autre moitié, une perruque blonde. L'enquête montra que les passantes aident autant les enquêteurs que les enquêtrices alors que les passants sont plus serviables avec les enquêtrices qu'avec les enquêteurs.

À aucun moment, la couleur des cheveux n'a été un facteur déterminant. Conclusion : on sait encore être galant de nos jours (Juni et Roth, 1985).

On a demandé à 79 étudiants et 161 étudiantes de classer par goût différentes couleurs de cheveux. Les résultats montrèrent que :

– Les hommes aux cheveux noirs préfèrent les femmes brunes ou châtaines.

– Les hommes blonds aiment autant les blondes que les brunes.

– Les blondes, les brunes et les rousses préfèrent les hommes aux cheveux foncés.

– Les femmes teintes en blond préfèrent les hommes blonds et les hommes aux cheveux noirs (Lawson, 1971).

Une des raisons possibles expliquant pourquoi on dit que les hommes préfèrent les blondes, c'est que le fait d'avoir les cheveux blonds est un caractère récessif.

Si une femme blonde mariée à un blond était infidèle avec un homme aux cheveux bruns et se retrouvait enceinte, le caractère récessif ne jouant pas, ses enfants auraient les traits dominants de l'homme, visibles pour tous, et la dénonçant comme une femme adultère. Une femme mariée à un homme ayant les mêmes caractères récessifs peut inconsciemment éviter d'avoir une aventure avec un homme aux caractères dominants de peur que cela ne se voie. Peut-être que les hommes blonds pourraient se servir de la génétique pour tester la fidélité de leur partenaire…

Il paraît qu'aujourd'hui, les hommes ne préfèrent plus les blondes. On a montré à 1 500 hommes trois photos de la même femme mannequin ; les clichés avaient été retravaillés afin que la femme ait alternativement les cheveux blonds, bruns et roux. Les hommes devaient donner leurs impressions sur la personnalité de la femme d'après sa couleur de cheveux. Plus de la moitié d'entre eux élurent la brune comme étant la femme la plus attirante, les cheveux bruns étant perçus comme un signe d'intelligence et de force chez une femme [sachant qu'il y eut quelques différences régionales : les Geordies préférèrent la rousse (22 %) et les hommes du Yorkshire, la blonde (40 %)] (Peter Ayton, City University, Unilever, 2005). Aujourd'hui, il semble donc que la partenaire idéale des hommes soit une femme brune, ou châtaine.

Alors, les hommes ne préfèrent plus les blondes !

Lire aussi : La blonde est stupide ; Le chien est le meilleur ami de l'homme ; Recherche jolie femme – Recherche homme bonne situation ; La rousse sulfureuse.

Recherche jolie femme – Recherche homme bonne situation

Jolie femme bien roulée cherche homme multimillionnaire jeune d'esprit et sens de l'humour pour une relation à long terme. BP 1234.

Homme d'affaires fortuné cherche jolie fille top model pour s'amuser l'après-midi. BP 2134.

Le nombre de divorces en augmentation croissante pourrait laisser croire que beaucoup d'entre nous ont du mal à trouver le partenaire idéal. Quelle est cette chose particulière et indéfinissable que nous recherchons chez l'autre et est-ce que les hommes et les femmes cherchent des choses différentes ?

Les stéréotypes des hommes et des femmes sont généralement corroborés par les textes des petites annonces. Des psychologues ont donc analysé une centaine de petites annonces déposées par des cœurs solitaires dans les journaux. Lorsque chaque lettre coûte de l'argent, il faut aller droit au but. C'est ce que fait la femme dans la petite annonce ci-dessus : elle *veut* un homme riche, en échange, elle *offre* son physique.

L'homme *offre* son statut social, financier et professionnel et il *cherche* avant tout une femme séduisante (Waynforth et Dunbar, 1995).

Une étude portant sur 200 étudiants d'université note que les femmes, qui se disent rassurées par un homme ayant des ressources, recherchent un homme ayant également le sens des responsabilités. Les hommes recherchent un look, les femmes s'attachent donc plutôt à l'aspect matériel. Voilà qui ne rassurera pas une femme peu séduisante mais donnera de l'espoir aux hommes laids mais solides et ayant un bon job (Dunbar, 1995).

En plusieurs millions d'années d'évolution, nos préférences sexuelles se sont affinées. L'âge de l'homme n'est plus vraiment un problème pour les femmes, car même âgé, l'homme est capable de procréer. Les hommes sont attirés par les femmes séduisantes parce que l'aspect physique est un signe de gènes sains et comme la fertilité féminine est liée à l'âge, ils manifestent une préférence pour les femmes jeunes. Mais que se passe-t-il, lorsque au moment de choisir une compagne, ils sont contraints de trancher entre l'attrait physique et la jeunesse ? Une étude conduite par George Fieldman du Buckinghamshire Chilterns University College, indique que la plupart des hommes optent pour le physique (BBC News, 2001). Ce qui suggère que la perspective d'avoir de beaux enfants est plus attirante pour les hommes que d'avoir une nombreuse progéniture, puisque la femme de leur choix a moins d'années de fertilité devant elle.

Après avoir posté quatre fausses petites annonces de cœurs soi-disant solitaires sur deux sites célèbres de rencontre sur Internet, des chercheurs ont reçus 500 e-mails en réponse. Ce qui est intéressant dans ce cas, c'est que ces petites annonces étaient volontairement biaisées par les chercheurs qui avaient sciemment utilisé des mots clés (Strassberg et Holty, 2003). Contre toute attente, l'annonce qui reçut le plus de courrier fut celle dans laquelle la femme se décrivait comme *ambitieuse, financièrement indépendante... et ayant réussi.* Cette annonce reçut plus de 50 % de réponses de plus que la deuxième annonce la plus populaire, annonce dans laquelle la femme se décrivait comme *séduisante, ravissante et mince.* Ces résultats vont à l'encontre du cliché habituel, au moins concernant les personnes qui utilisent Internet pour faire des rencontres, mais peut-être est-ce parce que les hommes se sont dit qu'une femme *séduisante, ravissante et mince* n'aurait pas besoin de ces subterfuges pour trouver un partenaire...

Lorsque nous cherchons un compagnon ou une compagne, est-ce que des paramètres culturels interviennent ? Il semble que la réponse soit négative.

Une étude menée sur les cinq continents et cinq îles dans 37 cultures différentes, montre que, dans toutes les cultures, la plupart des femmes évaluent le soupirant potentiel à travers des critères liés à ses ressources potentielles : bonne santé financière, ambition, assiduité, âge et maturité affective. Les hommes, pour leur part, évaluent le potentiel de leurs partenaires féminines en termes de fécondité, recouvrant à la fois la faculté de se reproduire et d'élever des enfants (Buss, 1989).

Certains vont encore plus loin, observant que les hommes sont souvent attirés par des femmes aux traits enfantins, avec de grands yeux et un petit nez parce que ces traits sont associés à ceux d'un bébé. Le visage poupin est inconsciemment assimilé à la jeunesse, la bonne santé et donc la fertilité (Cunningham, 1986). La symétrie faciale est aussi un bon indicateur de la séduction, sans doute parce qu'on y voit le signe de gènes sains et forts (Cunningham, 1986).

Regardons d'un peu plus près les différents aspects de la séduction et leur origine. Une peau saine et sans rides, des yeux pétillants, des lèvres pleines et des cheveux brillants sont des indicateurs évidents d'une bonne santé générale. Mais le visage n'est pas la seule source d'information quand un homme cherche une partenaire : un critère comme la proportion entre les hanches et les seins compte aussi. En cinquante ans, celui-ci a beaucoup évolué. Si l'on compare le ratio entre la taille des hanches et des seins des gagnantes de concours de beauté et des playmates des pages centrales de *Playboy*, en cinquante ans la mode et les goûts ont beaucoup changé, mais une femme avec une petite poitrine et des hanches pleines est invariablement jugée attirante. Une proportion de 0,7 entre les hanches et les seins est associée à une bonne santé et à une meilleure capacité de reproduction : d'où la préférence masculine (Singh, 1993).

Ces mensurations féminines ainsi que bien d'autres caractéristiques physiques que nous trouvons attirantes sont le résultat d'une sélection naturelle. Certains traits du visage et du corps sont considérés comme les plus beaux parce qu'ils attiraient déjà nos ancêtres qui les ont transmis à leur descendance et nous avons hérité de leurs goûts et de leurs dégoûts. Même si les traits de caractère et de comportement d'une femme, comme la fidélité et l'intelligence, peuvent indiquer si elle fera une bonne mère, ce sont apparemment ses caractéristiques physiques qui priment d'abord pour un homme. C'est la raison pour laquelle les hommes voient dans une forte poitrine une indication de fertilité, tandis qu'une petite poitrine est une preuve visible que la femme n'est pas déjà enceinte ; de bonnes fesses sont un signe que la femme a de la réserve et donc indiquent une alimentation riche et une bonne nutrition, des hanches larges la capacité à porter des enfants. C'est ainsi que les hommes évaluent d'un coup d'œil la séduction d'une femme.

Les femmes en général sont beaucoup plus concernées par l'approvisionnement en nourriture de leur progéniture et s'intéressent vivement à l'entretien et la défense de leur foyer. Elles consacrent plus de temps à l'éducation de leurs enfants et sont plus conscientes de la nécessité de les protéger. Ce n'est donc pas surprenant qu'elles aient besoin de tout leur temps pour évaluer les ressources d'un compagnon potentiel et ne se laissent pas influencer par son apparence. Les hommes sont également très conscients de l'intérêt des femmes pour leurs ressources matérielles. L'hypothèse des bons gènes (Zahavi, 1975) explique pourquoi les hommes aiment montrer leur argent et pourquoi cela les aide à attirer les femmes. Le conducteur d'une Ferrari fait étalage de son succès – une parade qui n'est pas si éloignée de celle du paon qui fait la roue avec sa longue et absurde queue. Il le fait pour épater la galerie et donner aux femmes le signal qu'il est un homme de haute qualité avec un bon patrimoine génétique et des ressources financières solides. Les femmes accordent une plus grande valeur à ces hommes qui ont l'air prospères. L'objectif du conducteur de Ferrari est de démontrer qu'il peut dépenser une fortune dans un jouet coûteux tout en continuant à vivre confortablement. Seul un homme avec une position financière solide peut se permettre une pareille extravagance.

Encore une fois, cette tendance semble se vérifier dans de nombreuses cultures. Dans les sociétés polygames, les hommes qui ont une position sociale élevée et des ressources financières confortables ont plus de femmes que les autres hommes (Betzig, 1986).

L'une des causes essentielles de divorce citées par les femmes dans de nombreuses sociétés du monde est l'insuffisance de soutien financier de la part des hommes, alors que l'on ne trouve l'inverse nulle part (Betzig, 1989).

Voici un test sur l'hypothèse selon laquelle les femmes et les hommes recherchent des caractéristiques différentes. On a présenté (Townsend et Levy, 1990) à des hommes et à des femmes des photos représentant des personnes du sexe opposé, plus ou moins séduisants et dont le statut social, la réussite et la prospérité étaient suggérés par leurs tenues vestimentaires. Dans une série de photos, les personnes portaient des tenues indiquant un statut social assez bas, de type uniforme de fast-food, dans d'autres ils portaient la tenue stéréotypée de la classe moyenne, dans la dernière, ils portaient des vêtements de grands couturiers avec leurs accessoires. On a demandé aux personnes interrogées dans quel état d'esprit elles entreraient en relation avec ces différentes personnes. Pour les femmes, l'homme le plus attirant avec lequel boire un café, dîner, faire l'amour et se marier était celui portant une montre Rolex et des vêtements de grands couturiers. Les hommes quant à eux se déclarèrent attirés d'abord par le physique. Ils n'avaient pas envie de sortir avec une femme peu séduisante mais portant de jolis vêtements, ce qui sous-entend qu'ils n'attachent pas une grande importance au statut social de la femme.

La plupart de tous les exemples développés dans ce chapitre sur les préférences divergentes entre les hommes et les femmes, s'appuient sur des facteurs ayant trait à la perpétuation de l'espèce. Mais les relations hommes-femmes ne sont pas essentiellement basées sur des stratégies de reproduction, elles sont beaucoup plus compliquées que cela. Tout le monde ne cherche pas un compagnon pour la vie et de nombreuses personnes ont une approche à plus court terme et recherchent plutôt un partenaire d'une nuit. D'autres choisissent délibérément de ne pas avoir d'enfants malgré le fait qu'ils se sont engagés dans une relation à long terme. Si l'on ne peut donc pas tirer de conclusion globale, on peut toutefois avancer que les hommes sont plus futiles que les femmes lorsqu'il s'agit de choisir : même s'ils ne sont pas tous obsédés par le physique, c'est tout de même extrêmement important pour eux. Les femmes peuvent aussi être très futiles et faire dépendre essentiellement leur choix de l'argent et il est vrai que certaines sont de vraies chercheuses d'or.

Alors, lecteurs masculins, il est peut-être temps d'investir dans des vêtements de marque et dans une voiture de luxe, et vous, mesdames, essayez d'améliorer votre physique mais n'oubliez pas qu'il est inutile, pour plaire aux hommes, de gaspiller votre argent dans des vêtements coûteux.

Lire aussi : Les hommes préfèrent les blondes ; Belle et mince ; Le tombeur et la traînée.

Le bon Samaritain

Tout le monde connaît la parabole du bon Samaritain qui nous encourage à montrer de la compassion aux autres (Bible, Luc 10.29-37).

Un homme qui allait de Jérusalem à Jéricho est agressé, dévalisé et laissé pour mort au bord de la route. Deux religieux qui voyageaient sur ce chemin, font semblant de ne rien voir et passent au plus vite de l'autre côté de la route. Un Samaritain, considéré comme inférieur à l'époque, porte secours au blessé, le conduit dans une auberge et paie l'aubergiste afin que celui-ci en prenne soin. Puis il reprend son voyage.

L'une des opinions les plus répandues est qu'il y a un lien entre la foi religieuse, la serviabilité et l'altruisme. Et par altruisme, j'entends se préoccuper du bien-être des autres de façon désintéressée (Chambers, 2005).

Le cliché veut que les croyants soient plus généreux à la fois de leur temps et de leur argent.

Les études ont montré qu'ils sont plus enclins à travailler parmi les pauvres et les nécessiteux (Colasanto, 1989), à se battre pour une plus grande justice sociale et à donner un plus grand pourcentage de leurs revenus que les autres (Myers, 2005).

Il y a plusieurs raisons pour lesquelles les croyants montrent peut-être plus de générosité que les autres :

– La plupart des grandes religions encouragent vivement l'altruisme.

– Les croyants pensent qu'ils en seront récompensés dans l'autre monde.

– Les personnes altruistes sont plus attirées par les religions altruistes.

– La religion prépare les gens à être plus réceptifs aux messages de générosité, ce qui peut influencer leur comportement.

Une étude célèbre visant à tester le principe du bon Samaritain fut conduite par Darley et Batson en 1973. Ils posèrent leur analyse de la parabole de la manière suivante :

> Quand on est face à une situation d'urgence et que l'on a besoin d'une aide extérieure, les personnes animées de sentiments religieux ne sont pas plus serviables que les autres. Et les personnes pressées sont moins serviables que celles qui ne le sont pas.
>
> Darley et Batson, 1973.

Pour tester ces hypothèses, ils recrutèrent 40 étudiants du Princeton Theological College. On donna le texte de la parabole du bon Samaritain à la moitié de ces étudiants en prétendant qu'ils devaient préparer un sermon sur ce sujet. On dit à l'autre moitié de préparer un simple laïus sur leurs futurs projets professionnels. Au moment de livrer le résultat de leur travail, les étudiants furent priés de changer de bâtiment. On fit croire à un groupe qu'il devait faire vite car il était en retard alors que l'autre groupe put prendre tout son temps. Sur le chemin, chaque étudiant devait passer devant un homme en guenilles gisant effondré sur le pas d'une porte, immobile, les yeux clos et la tête penchée, une attitude volontairement ambiguë – on ne pouvait pas deviner si l'homme dormait, cuvait son vin, avait besoin d'aide ou était dangereux, un peu comme l'homme sur le chemin de Jéricho. Chaque fois qu'un étudiant passait devant lui, l'homme toussait deux fois et gémissait.

Seulement 40 % des étudiants en théologie lui offrirent de l'aide. Ceux qui se montrèrent les plus altruistes étaient les moins pressés et ceux qui avaient préparé un sermon sur la parabole du bon Samaritain ne furent pas plus serviables que ceux qui avaient rédigé un simple laïus sur leurs projets professionnels. Être animé de belles pensées religieuses ne vous fait pas agir plus généreusement, surtout si vous êtes pressé.

Il n'est pas toujours facile de comprendre que certains peuvent se comporter de façon altruiste à cause de leurs opinions religieuses. Une enquête a été menée auprès de psychiatres chargés d'évaluer les motivations de candidats potentiels au don d'organes pour savoir s'ils étaient sensibles à ce type de motivation de la part des donneurs (Dixon et Abbey, 2000). La plupart des donneurs expliquèrent qu'ils voulaient faire ce don car ils étaient proches, famille ou ami, de la personne ayant besoin de la greffe, mais quand on présenta aux psychiatres des personnes justifiant leur démarche généreuse par des convictions religieuses, la plupart de ces praticiens réagirent négativement devant ces motivations, ce qui suggère qu'ils trouvaient étrange de se comporter avec altruisme pour des motifs religieux.

De nombreux scientifiques se sont posé les questions suivantes : Est-ce que le fait d'être animé de sentiments religieux a une influence positive sur la façon de se comporter en société ? Est-ce que le fait d'agir avec générosité n'est motivé que par le désir d'aider ? Enfin, ce type de comportement est-il inné ou acquis, c'est-à-dire dû à la génétique ou à l'environnement ?

Pour répondre à ces questions, on a évalué un échantillon de 165 vrais jumeaux et 100 faux jumeaux adultes hommes (Koenig *et al.*, 2007). Il apparut que plus on se décrit comme quelqu'un de pieux, plus on se pense altruiste et moins on se voit comme antisocial. Le fait de mettre en jeu des jumeaux a permis d'étudier le facteur hérédité. Koenig a plaidé pour l'existence de gènes prédisposant à la piété. Peut-être que les facteurs influençant la religiosité augmentent l'altruisme. En tout cas, la connexion entre les deux est encore renforcée par le fait que, comme les religions encouragent à l'altruisme, les gens altruistes sont attirés par les religions.

Une enquête a montré qu'il existe des différences notables entre ce que donnent aux autres, en termes de temps et d'argent, les Américains croyants et les Américains qui ne le sont pas (Brooks, 2003). Étaient considérées *croyantes* les personnes qui assistaient à un service religieux au moins une fois par semaine. 91 % des personnes du groupe des croyants donnaient de l'argent aux pauvres, contre 66 % de l'autre groupe, ce qui représente 25 % de plus. Et 67 % du groupe des croyants contre 44 % de l'autre groupe étaient bénévoles dans des associations, soit une différence de 23 %. Cela dit, il suffit de jeter un coup d'œil à un groupe de personnes considérées comme dévouées pour découvrir une situation beaucoup moins flatteuse. La médecine, qui est une profession altruiste par excellence puisque son objet est de soigner les malades, peut aussi encourager l'égoïsme car elle procure à la fois un salaire important et un statut social élevé. On pourrait s'attendre à ce que les médecins ayant des convictions religieuses compensent leurs hauts revenus et leur statut privilégié en se dévouant plus particulièrement aux plus déshérités. Une étude montre que ce n'est pas le cas.

Sur un échantillon de 1 144 médecins américains, 26 % seulement travaillaient pour des gens ayant le moins accès aux soins en général à cause de la pauvreté. Ce pourcentage était quasiment le même que ces médecins pratiquent ou non une religion : 27 % des médecins peu croyants contre 29 % se déclarant très pratiquants travaillaient avec les moins privilégiés (Curlin *et al.*, 2007).

La parabole du bon Samaritain suggère qu'une personne qui se présente comme pieuse n'agit pas forcément d'une façon altruiste. Les recherches montrent que les personnes qui ont des croyances religieuses sont un peu plus altruistes que les autres bien que cela ne se vérifie pas dans tous les cas. Et les gens qui ont des croyances religieuses peuvent être considérés comme moins altruistes s'ils agissent par intérêt : faire de bonnes actions dans cette vie pour gagner des points dans l'autre.

En conclusion, il se peut qu'il y ait une corrélation entre les croyances religieuses et la bonté, mais il n'y a pas nécessairement de lien. Nous n'avons bien entendu pas pris en compte l'inverse, c'est-à-dire des actions atroces motivées par des croyances religieuses, comme les croisades, ou encore l'attaque du 11 Septembre contre les tours du World Trade Center.

Réjouissons-nous que les occasions dans lesquelles la religion fait la promotion active d'actes maléfiques soient rares.

Le Français est gourmet, l'Écossais est radin, l'Allemand est sérieux...

Au paradis, les policiers sont anglais, les cuisiniers sont français, les mécaniciens sont allemands, les amants sont italiens, le tout est organisé par des Suisses.

En enfer, les policiers sont allemands, les cuisiniers anglais, les mécaniciens français, les amants sont suisses, le tout est organisé par des Italiens.

Discuter des stéréotypes nationaux n'étant pas du tout politiquement correct, c'est donc avec la plus vive inquiétude que je m'embarque sur ce sujet. Voilà pourquoi j'ai voulu commencer ce chapitre avec cette bonne vieille blague afin de détendre l'atmosphère. Il y a bien entendu de nombreux autres stéréotypes associés aux nationalités. Les Espagnols remettent toujours *a añana* (demain) ce qu'ils peuvent faire le jour même, les Anglais sont polis et aiment faire la queue, les Irlandais ont la langue bien pendue et aiment bien boire, les Américains sont gros et bruyants... on pourrait décliner ce florilège à l'infini d'autant que, à l'intérieur d'une même nation, il y a encore de multiples variations régionales possibles.

Toutefois, faire d'une simple opinion un stéréotype ne veut pas dire que les observations sur lesquelles elle est fondée sont entièrement fausses.

Comment se développent les clichés nationaux ? Il y a une histoire différente derrière chacun d'eux mais on pense que certains sont basés sur des valeurs qui sont tenues en haute estime au sein d'une nation. Ils ont leurs racines dans la vérité historique et ont persisté malgré l'évolution des circonstances. Par exemple, les Américains sont souvent considérés comme des libres penseurs qui accordent une grande importance à la liberté d'expression et à l'individualisme. Ces valeurs peuvent trouver leur origine dans l'expérience des pionniers qui les prônaient et les exaltaient comme des vertus lors de la conquête de l'Ouest américain. Le 1er Amendement de la Constitution des États-Unis souligne le nombre de libertés dont profitent les citoyens, comme la liberté de culte, la liberté d'expression et la liberté de la presse.

Il y a aussi le cas où un petit aspect d'un cliché national peut être vrai mais est généralisé de façon incorrecte. Par exemple, les Italiens utilisent beaucoup leurs mains pour parler, ce qui a conduit au cliché selon lequel ils ont un tempérament passionné. Dans ce cas, une observation comportementale a été généralisée à tort et est devenue un trait de caractère.

Il arrive que les clichés persistent parce que nous croyons en voir la preuve quotidiennement lorsque nous croisons des étrangers. Un Écossais qui ne se précipite pas au bar est forcément un radin, un Allemand qui ne rit pas à une blague n'a évidemment pas le sens de l'humour… Ce phénomène qui est connu sous le nom de *ratification du préjugé*, nous pousse à croire que ces stéréotypes sont justes.

C'est un modèle de pensée sélective à travers lequel nous avons tendance à ne voir et à ne rechercher que les preuves qui confirment nos croyances et à ignorer ou à sous-estimer l'importance de ce qui vient les contredire.

L'une des premières études de cette théorie de la ratification du préjugé remonte à 1960. On a montré à des participants une suite de trois nombres, comme 2, 4, 6, en leur demandant de chercher la règle qui les avait produits. Ils avaient la possibilité de proposer de nouvelles suites de chiffres pour soutenir leur solution (Peter Wason, 1960).

La réponse correcte était que n'importe quel groupe de trois nombres se suivant en ordre croissant convenait.

La plupart des participants se sont attaqués au problème en émettant des hypothèses comme celle d'une succession de nombres pairs, et ils n'ont proposé que des suites corroborant leur théorie, par exemple, 6, 8, 10.

Au lieu d'envisager que peut-être ils se trompaient, ils ont repoussé les hypothèses qui ne collaient pas avec la règle qu'ils avaient établie. En d'autres termes, la seule chose qu'ils recherchaient, c'était une preuve confirmant leur théorie. Ils ne testèrent pas par exemple l'hypothèse d'une progression de deux en deux, ou celle d'une suite de nombres positifs (Nickerson, 1998).

D'après cette expérience, il est clair que lorsque l'on ne recherche que des preuves confirmant ce que l'on croit, on fait fausse route. C'est peut-être ce même processus de la ratification du préjugé qui se produit avec les stéréotypes nationaux. La raison pour laquelle nous ignorons, ou nous ne tenons pas compte, des preuves qui surgissent contre nos attentes, est que nous sommes persuadés qu'il est important de nous en tenir à notre opinion. Nous attachons une grande valeur à ce que nous croyons au point que nous décidons d'ignorer les contradictions. Ce qui peut poser un gros problème lorsque ces certitudes reposent sur autre chose que des préjugés (Kunda, 1990).

L'une des raisons probables de cette tendance à s'accrocher coûte que coûte à ses convictions est qu'il est plus facile de s'en tenir à un comportement type que de le remettre en cause (Gilovitch, 1993).

On a enquêté sur les stéréotypes de 49 cultures à travers le monde et demandé à 4 000 participants de décrire un personnage type de leur propre culture, le Français moyen, par exemple. On a ensuite comparé ces descriptions avec les résultats de mesures de personnalité effectuées au préalable dans ces pays. Il y avait une certaine harmonie entre les deux descriptions : par exemple, les Américains ont évalué l'Américain typique comme quelqu'un ayant confiance en soi et les Canadiens ont décrit le Canadien typique comme quelqu'un de plutôt soumis. Pourtant, selon des mesures psychométriques scientifiques de confiance en soi, Canadiens et Américains obtiennent des résultats quasiment identiques. Les Indiens évaluent l'Indien typique comme non conventionnel et ouvert aux expériences nouvelles, mais des mesures de personnalité montrent que les Indiens sont assez conservateurs comparés à d'autres nationalités.

Si les gens ne se voient pas tels qu'ils sont et ont une idée erronée de leurs propres caractéristiques nationales, il n'est pas surprenant que l'opinion des autres peuples sur eux soit faussée. Conclusions : les stéréotypes nationaux ne sont pas des généralisations fondées sur des observations réelles de gens dans un pays donné mais des clichés sans fondement (Terracciano et McCrae, 2005).

Examinons maintenant certains des faits en relation avec les stéréotypes nationaux en commençant par ceux qui concernent la consommation d'alcool. Est-il certain que les Irlandais avec leur bière et leur amour des soirées arrosées bruyantes dans les pubs soient le peuple le plus imbibé d'Europe ? Rien n'est moins sûr. Selon le World Drink Trend, la commission pour les alcools distillés (2004), les Irlandais se situent en troisième position dans la consommation d'alcool, après les Hongrois et les Luxembourgeois qui ont consommé l'équivalent de 12 litres d'alcool pur par personne en 2002.

Le stéréotype veut que l'Allemand soit l'Européen le plus dynamique. En fait ce n'est pas le cas ; ces dernières années, l'Irlande et l'Espagne ont connu une croissance plus rapide de leur PIB, le produit intérieur brut.

Quel est le centre économique et financier de l'Europe ? La Suisse forcément où tout tourne comme une horloge. En fait, non, c'est Londres.

Et ces Américains ? Sont-ils tous obèses ? Il y a du vrai là-dedans : aux États-Unis, 119 millions d'adultes, 64,5 % sont obèses ou en surpoids et les chiffres, dans tous les sens du terme, sont en constante augmentation (BBC News, 2005).

Pour revenir à la petite blague du départ, est-ce que ce serait vraiment l'enfer si les Allemands étaient les policiers de l'Europe et si les Anglais en étaient les cuisiniers ? Je ne le crois pas. Après tout, Gordon Ramsay pourrait superviser les fourneaux anglais – n'oubliez pas que cet Écossais a gagné ses étoiles Michelin et est reconnu comme l'un des meilleurs chefs du monde entier.

Est-il vrai que les Italiens ne connaissent rien sur le plan de l'organisation ? Ils réussissent parfaitement dans l'industrie chimique et dans l'ingénierie et dans le passé, ils ont démontré leurs grandes qualités d'organisation dans la conquête d'autres pays. Souvenez-vous de ce passage de Monty Python, *La Vie de Brian*, réalisé par Terry Jones en 1979. À la question : « Qu'ont fait les Romains pour nous ? » la foule réunie admettait à contrecœur que les Romains avaient développé des aqueducs, l'irrigation, un système sanitaire, des routes, la médecine, l'éducation et, par-dessus tout, le vin.

Le problème avec les clichés, c'est qu'ils sont en général négatifs et renforcent ainsi les points de vue racistes. Être endurant et dur à la tâche, comme les Allemands, ou bon en sport et aimer la vie au grand air, comme les Australiens, sont des stéréotypes exceptionnels parce qu'ils sont positifs. Et comme les stéréotypes nationaux sont rarement positifs, il est peut-être temps d'arrêter de les répandre et d'accepter l'idée que chaque nationalité est un mélange de plusieurs milliers d'individus. Les Anglais sont parfois qualifiés de xénophobes craignant et se méfiant de tout ce qui est étranger. Et pourtant c'est le cliché le moins adéquat, c'est forcément un étranger qui l'a inventé. Après tout, être anglais, c'est conduire une voiture allemande pour se rendre dans un pub irlandais pour boire une bière belge, puis manger un curry indien et s'installer chez soi sur un canapé suédois pour regarder une émission de télé américaine ou bien des footballeurs français sur une télé japonaise !

Lire aussi : Les supporters de foot sont des hooligans.

Le Nord, c'est sinistre

L'origine de cette idée reçue date sans doute de la révolution industrielle des XVIIIe et XIXe siècles, lorsque les villes du nord de l'Angleterre se sont considérablement développées et que leurs immenses manufactures alimentées par le charbon, vomissaient jour et nuit poussière et pollution. De nos jours, parce que l'économie anglaise repose de plus en plus sur une industrie de services, la plupart des *usines noires comme l'enfer* ont disparu, mais qu'en est-il du cliché *le Nord, c'est sinistre* ? Étant né moi-même à Bournemouth, l'une des villes les plus au sud de l'Angleterre, et ayant passé ma vie d'adulte dans, ou à côté de Southampton, je ne suis pas le mieux qualifié pour porter une appréciation. Pourtant, dans un souci d'objectivité, je vais m'efforcer d'être le plus complet sur toutes les informations que j'ai pu rassembler sur le fameux conflit Nord/Sud.

Selon les chiffres du gouvernement du Royaume-Uni (Office of the Deputy Prime Minister, 2003), des différences subsistent entre le Nord et le Sud en termes de qualité de vie. Prenons l'Angleterre : le Sud a une plus importante production économique (le produit intérieur brut par habitant est de 11 € dans le Nord-Est contre 16,50 € dans le Sud-Est), un niveau d'éducation supérieur, moins de chômage et de pauvreté, un taux de criminalité inférieur (à part dans l'agglomération de Londres) et moins de vols et de dégradations de voitures que le Nord. Les gens qui vivent dans le Sud sont en meilleure santé et leur espérance de vie est de deux ans supérieure à celle de leurs compatriotes du Nord. Le nombre de maladies cardiaques est bien plus élevé dans le Nord, à l'exception de quelques villages comme Alderley Edge dans le Cheshire, dont on dit qu'il compte autant de millionnaires que le célèbre et très huppé quartier de Mayfair à Londres. Bien entendu, le fait que les statistiques semblent soutenir la véracité du cliché *Le Nord, c'est sinistre* est un peu une préoccupation quotidienne des Nordistes. Mais où exactement commence le Nord ? Danny Dorling de l'université de Sheffield, prétend que la frontière a changé ces dernières années en raison d'un important développement socioéconomique, dû notamment la hausse des prix de l'immobilier, l'augmentation de l'espérance de vie et les choix électoraux. Dorling croit que, contrairement à l'opinion populaire, la frontière ne commence pas à Watford Gap mais à l'estuaire de la Severn ; elle monte ensuite jusqu'à Humber en suivant une ligne qui zigzague en diagonale et atteint la côte juste au sud de Grimsby.

Les Midlands, croit Dorling, seraient maintenant un mélange de Nord et de Sud. Au Sud, il y a quelques poches de pauvreté dans un océan de richesses et au Nord, il y a quelques poches de richesses dans un océan de pauvreté. Il compare cette situation à celle du rideau de fer qui séparait les deux Allemagnes : comme lui, dit-il, c'est une frontière virtuelle entre les deux Angleterre, la riche et la pauvre (Day, 2007).

Les problèmes entre le Nord et le Sud ne sont pas l'exclusivité de l'Angleterre. Les États-Unis comme l'Italie, ont connu des divisions, bien que dans ces pays, le Nord plus prospère semble regarder avec condescendance ses parents pauvres du Sud. En Italie, la séparation entre le Nord et le Sud est accentuée par une politique partisane. Les politiciens de la Ligue du Nord font campagne en faveur de la séparation d'avec leurs cousins du Sud qui sont souvent qualifiés de *Terroni*, culs-terreux.

On pourrait s'attendre à ce que le cliché *Le Nord, c'est sinistre* s'applique à l'Europe. Au sud, sur la Méditerranée, dans les pays du soleil, les habitants seraient forcément plus heureux que les habitants des pays du Nord qui ont un climat plus froid. Mais cela n'est pas démontré par la recherche. Lors d'une enquête sociale européenne menée par l'université de Cambridge (Charter, 2007), on a demandé aux peuples de différents pays d'évaluer leur joie de vivre sur une échelle de 0 à 10. L'Italie, la Grèce et le Portugal ont atteint le niveau le plus bas alors que la Suède, la Finlande et les Pays-Bas étaient au top, juste derrière le premier, le Danemark. Qu'est-ce qui les rend si heureux ? Pas le soleil, mais la confiance dans leur gouvernement, la police et leurs compatriotes. Le Royaume-Uni n'a pas atteint un si mauvais score que cela, puisqu'il occupait la neuvième place sur les quinze nations européennes qui participaient à cette enquête.

Et que penser de cette idée très répandue selon laquelle le taux de suicides est beaucoup plus important au nord qu'au sud ? Il est certainement vrai qu'il existe une corrélation négative entre le nombre d'heures de clarté et le taux de suicides : moins il y a d'heures de lumière du jour, plus ce taux augmente. Cela se vérifie particulièrement dans le grand Nord, dans des pays comme la Scandinavie et l'Alaska. Il est fort possible que les gens qui souffrent de troubles affectifs saisonniers aient des dépressions plus sévères à cause du manque de lumière. Quoi qu'il en soit, il est vrai qu'il y a des différences importantes dans les taux de suicides d'un pays à l'autre, mais ces variations pourraient aussi s'expliquer par les méthodes d'enquête. Dans de nombreux pays scandinaves, par exemple, le nombre de maladies associées à un suicide est relativement bas comparativement à d'autres pays (Soreff, 2006). Par ailleurs, au Royaume-Uni, où les méthodes de comptage et probablement aussi les mentalités sont les mêmes selon les régions, le taux est plus élevé au nord. Le taux de suicides en Écosse est deux fois plus élevé qu'en Angleterre : on a enregistré le taux le plus élevé de suicides dans les îles Shetland pour les hommes (47,5 pour 100 000) et à Glasgow pour les femmes (15,8 pour 100 000).

Lorsque j'ai commencé à écrire, je croyais que je ne trouverais que peu de matière pour le stéréotype *Le Nord, c'est sinistre*. J'avais tort, de nombreux paramètres mesurant la qualité de la vie suggèrent que la frontière entre le Nord et le Sud existe toujours. Et cela en faveur du Sud.

Mais le Nord a néanmoins de nombreux atouts. Dans un programme télévisé de la BBC, accompagné d'un livre intitulé *Le Nord, ce n'est pas sinistre* (Holder, 2005), de nombreuses personnalités très connues du Nord exaltaient ses attraits et son charme. L'un des points essentiels est que même s'il fait plus beau dans le Sud, le Nord est réputé pour la chaleur et l'accueil de ses habitants. De plus, beaucoup de villes du Nord ont fait de gros efforts pour leur rénovation : Manchester, Liverpool, Newcastle ou Leeds, la Barcelone anglaise, sont désormais décrites dans les guides touristiques comme des lieux à ne pas manquer (Lonely Planet, 2005).

Cela suggère que le Nord est certainement moins sinistre qu'il ne le fut autrefois, et en fait l'expression *Le Nord, c'est super* conviendrait davantage aujourd'hui.

Mais seul le temps nous dira si Bradford est devenue la nouvelle Toscane.

La femme qui a des migraines

Un homme et sa femme se mettent au lit. L'homme se rapproche de sa femme et se blottit contre elle, lorsqu'il entend : « Pas ce soir, chéri, j'ai la migraine. »

Messieurs, si cela vous arrive, n'en veuillez pas trop à votre femme, car c'est probablement vrai. Une femme a trois fois plus de risques qu'un homme d'avoir des migraines. Les migraines féminines sont plus intenses, elles sont parfois accompagnées de nausées et de vomissements et elles durent plus longtemps. Toutefois, cette inégalité entre les femmes et les hommes décroît après 40 ans (Stewart *et al.*, 1994). Entre la vie professionnelle et la vie de famille, le stress quotidien subi par une femme génère certainement des maux de tête. Mais les hommes eux aussi sont exposés au stress, l'explication n'est donc pas là. Une cause plus probable de migraines régulières est à rechercher du côté des hormones dont le niveau fluctue selon la période du mois et pendant toute la vie d'une femme. Cette hypothèse est confortée par le fait que plus de la moitié des femmes qui souffrent de migraines disent que celles-ci apparaissent surtout au moment de leurs règles et à la ménopause.

Cela tendrait à prouver qu'il existe un lien entre maux de tête et bouleversements hormonaux. La recherche pharmaceutique devrait donc se focaliser sur les traitements hormonaux afin de traiter les migraines féminines. L'un des traitements qui semble marcher est la grossesse : 70 % de femmes souffrant habituellement de maux de tête, notent une nette amélioration durant cette période. Cela dit, 10 % connaissent aussi leur première migraine à ce moment (Lance, 1982).

Imaginons un homme et une femme *en train* de faire l'amour. Soudain l'un des deux partenaires dit à l'autre : « On arrête pour ce soir, j'ai la migraine. » Cette fois, dans la majorité des cas, il s'agira de l'homme.

Les migraines sexuelles (les céphalées coïtales) sont un phénomène heureusement rare (1 sur 360 migraines). Elles sont d'une intensité variable et débutent en général à la base du crâne mais peuvent se propager dans toute la tête. Elles surviennent pendant l'acte sexuel mais peuvent aussi apparaître un peu avant. Les migraines sexuelles font partie des migraines dites de l'effort, c'est-à-dire provoquées par l'exercice physique. On ne sait pas avec certitude pourquoi elles touchent davantage les hommes que les femmes, mais il y aurait un lien avec le fait que l'homme est en général le partenaire le plus actif lors de l'acte sexuel. Une des migraines sexuelles est connue sous le nom de migraine de l'orgasme, qui est, comme vous vous en doutez, aussi soudaine que violente ; elle aussi est plus fréquente chez l'homme. Sans doute parce que l'homme connaît plus d'orgasmes que la femme. Une migraine de l'orgasme peut durer un jour ou deux. Il est parfois délicat d'expliquer les raisons d'une absence au travail…

Mais tout n'est pas noir dans la relation entre le sexe et la migraine. Faire l'amour peut aussi soulager la douleur ! On pense que la sérotonine, qui est un neurotransmetteur envoyant des impulsions nerveuses au cerveau et qui a un effet biochimique sur l'humeur, est moins active durant une crise de migraine. Un orgasme libère la sérotonine et active les circuits du cerveau qui peuvent aider à relâcher l'emprise de la douleur.

Bien entendu, l'orgasme n'est pas garanti et les orgasmes simulés ne jouent que sur les fausses migraines.

Lire aussi : Les femmes sont émotives ; Ils ne pensent qu'au sexe.

UN AMATEUR DE MUSIQUE CLASSIQUE EST INTELLIGENT

J'ai essayé de travailler en écoutant Coldplay, le groupe de rock anglais, mais je n'ai pas pu me concentrer alors j'ai mis à la place un disque de Mozart.

Pourquoi croit-on qu'un amateur de musique classique est plus intelligent ?

Pour deux raisons.

La première, c'est qu'il y a une sorte de préjugé anti-pop : si vous écoutez de la musique classique, vous êtes intellectuel, si vous écoutez de la pop musique, vous êtes stupide. Pour la plupart des gens, la musique classique vole plus haut que les autres styles de musique et est appréciée par plus de gens intelligents.

Deuxième raison : non seulement, si vous écoutez de la musique classique, c'est que êtes plus spirituel que les autres mais en plus, écouter Mozart rendrait plus intelligent. En particulier la sonate en ré pour deux pianos (K448) et le concerto pour piano n° 23 en la majeur (K488).

Écouter de la musique classique est en effet considéré souvent comme un passe-temps intellectuel. La plupart des recherches sur ce sujet sont fondées sur une théorie concernant le fonctionnement du cortex cérébral, c'est-à-dire la partie du cerveau qui intervient pour les activités motrices, la parole, la mémoire et l'audition. Cette théorie appelée « modèle trion » (basé sur l'organisation en colonnes du cortex), fut développée par le neurobiologiste Gordon Shaw à l'université de Californie-Irvine. Selon lui, quand on écoute de la musique, l'activité des cellules du cerveau est la même que lorsqu'on exécute une tâche (Leng et Shaw, 1991).

L'expression *effet Mozart* fait référence à une étude publiée dans le journal *Nature*. Cette étude prétendait qu'écouter une sonate de Mozart pendant dix minutes permettrait aux adultes d'améliorer leurs résultats lors de tests d'intelligence spatiale. (Il s'agit d'utiliser ses capacités intellectuelles pour avoir une représentation spatiale du monde.) (Rauscher *et al.*, 1993). Le principe serait le suivant : écouter certains types de musiques complexes échaufferait les neurotransmetteurs à l'intérieur du cortex cérébral, d'où l'amélioration des performances. Plus tard, Rauscher a avancé que des rats exposés à la musique de Mozart, *in utero* ou dès la naissance, apprenaient plus vite à se diriger dans un labyrinthe que des rats qui n'avaient pas eu droit ni à la fameuse *Petite musique de nuit*, ni à la non moins célèbre *Marche turque* (Rauscher, 2006).

On pourrait résumer l'*effet Mozart* de la façon suivante :

> C'est une musique qui réduit le stress, la dépression, l'anxiété, favorise la détente et le sommeil, active le corps et la conscience, et enfin, améliore la mémoire. Un usage nouveau et expérimental de la musique peut améliorer des difficultés d'écoute et d'attention, la dyslexie ainsi que d'autres troubles physiques et mentaux
>
> Campbell, 1997.

Les scientifiques ne sont pas les seuls à s'intéresser au phénomène. De nombreux parents et futurs parents font écouter du Mozart à leurs bébés, pendant la grossesse et après la naissance, dans l'espoir de le rendre ainsi plus intelligent. La croyance populaire a débouché sur une question plus vaste : comment faire pour développer l'intelligence de son enfant ? Une nouvelle et lucrative industrie a ainsi vu le jour. Campbell écrivit deux livres sur le sujet et créa de nombreux produits dérivés de l'*effet Mozart*...

D'autres études vont dans le même sens. On a demandé à un échantillon de 22 étudiants de résoudre des problèmes de labyrinthes dessinés sur une feuille. Ils devaient aller aussi vite que possible et en résoudre le maximum en huit minutes. La moitié des étudiants testés avaient écouté Mozart avant le test, l'autre moitié avait écouté un autre style de musique ou rien du tout. Ceux qui avaient écouté Mozart avant de commencer ont résolu, en moyenne, 2,68 labyrinthes en huit minutes. Ceux qui avaient écouté un autre style de musique en ont résolu 2,2 et le groupe qui n'avait rien écouté a obtenu un score de 1,73 (Wilson et Brown, 1997).

Écouter de la musique activerait les zones du cerveau concernées par le raisonnement (Jenkins, 2001). Les scanners ont montré que nous utilisons différentes partie de notre cerveau lorsque nous écoutons de la musique : la hauteur du son et le rythme sont traités par la partie gauche, la mélodie et le ton par la partie droite. Nous utilisons aussi ces parties du cerveau pour visualiser et manipuler des idées abstraites. L'*effet Mozart* agirait par ailleurs sur l'épilepsie : 23 des 29 patients épileptiques ayant écouté la sonate en ré pour deux pianos (K448) virent une baisse de l'activité épileptique confirmée par un encéphalogramme et certains ont même montré une amélioration saisissante (Hughes *et al.*, 1998).

Doit-on attribuer le fait d'être plus performant uniquement à Mozart ? Sans doute que non. De nombreux morceaux de Mozart utilisés par la recherche sont d'un rythme enlevé et vif ; ce sont peut-être ces qualités, plutôt que la signature de Mozart, qui expliqueraient l'amélioration des performances. Par ailleurs, le fait d'aimer cette musique et de l'écouter avant un test pourrait aussi avoir un rôle dans les résultats des tests de raisonnement spatio-temporels (Nantais et Schellenberg, 1999).

Après avoir instillé le doute sur le fait de savoir si l'*effet Mozart* est vraiment dû à Mozart, je vais vous décevoir un peu plus. On estime que les résultats de la recherche originale étaient beaucoup plus complexes qu'il n'y paraît et qu'ils ont été simplifiés au fil du temps. Plus on raconte une histoire, plus on y croit (Bangerter et Heath, 2004).

D'où la gêne causée au sein de la communauté scientifique par les découvertes de Rauscher et de ses collègues. Les critiques de cette théorie affirment qu'écouter de la musique de Mozart, ou de n'importe quel musicien classique, provoque simplement une modification de l'excitation et de l'humeur des participants, ce qui en retour augmenterait les résultats de leurs tests d'intelligence (Steele, 2006 ; Thompson *et al.*, 2001). Lorsque l'on tient compte de l'effet de cette modification, l'*effet Mozart* disparaît.

D'autres chercheurs ont voulu en avoir le cœur net, mais aucune des études suivantes n'aurait pu reproduire l'étude originale et, finalement, un rapport de 1999 rassemblant toutes les recherches sur le sujet conclut qu'aucun effet, si petit soit-il, n'est négligeable.

Entre les participants ayant écouté du Mozart et ceux qui sont restés assis en silence, il n'y a qu'une différence de 1,4 point de QI, le quotient intellectuel, en faveur des premiers (Chabris, 1999).

Et on opposa aussi le fait que comme les rats naissent sourds, ils n'auraient pas pu entendre la musique dans l'expérience en question citée plus haut (Steele, 2006 ; Rauscher, 2006).

Et pourtant, malgré tous les doutes et les remises en cause de la part des scientifiques, le grand public continue à croire qu'il existe un *effet Mozart,* qui agirait surtout sur les jeunes enfants et cela, malgré l'absence totale de preuve, d'autant plus que la majorité de la recherche s'est concentrée sur des étudiants.

Encore aujourd'hui, des livres sur l'*effet Mozart* continuent d'être publiés et des CD produits, à l'intention des parents arrivistes. En 1998, l'État américain de Géorgie a offert des CD de musique classique aux jeunes mères, le temps nous dira si cela a été utile ou non…

Un jour peut-être en saurons-nous davantage, grâce à la recherche, sur les effets de la musique sur notre comportement et nos aptitudes.

Quant à moi, qui ai écouté Mozart tout en écrivant ce chapitre, je ne pense pas que cela m'ait beaucoup aidé, même si c'était très agréable. Et maintenant j'écouterais bien quelque chose de plus corsé – pourquoi pas du heavy-métal des années 1970, un bon vieux Black Sabbath ?

Les gros sont paresseux

Est-ce que vous avez dans votre entourage quelqu'un de mollasson ?

Un des stéréotypes associés aux gros, c'est qu'ils sont obèses simplement parce qu'ils sont flemmards. Il existe une forte accumulation de signes montrant que nous sommes une grande majorité à avoir des *a priori* sur les personnes obèses et en surpoids. Avant de poursuivre, permettez-moi de faire une distinction entre les deux. La façon qu'ont les scientifiques de mesurer l'obésité est de calculer l'indice de masse corporelle ou IMC. On l'obtient en divisant votre poids par votre hauteur au carré. Au Royaume-Uni, les personnes dont l'IMC est compris entre 25 et 30 sont considérées en surpoids, celles dont l'IMC est supérieur à 30 sont considérées comme des obèses. Celles dont l'IMC est de 40 et plus sont des obèses ayant le risque de le rester (NHS Direct, 2008).

Sur le plan de l'évolution, il est assez simple d'expliquer l'augmentation des cas d'obésité. Dans l'environnement dans lequel nous vivons, la sélection naturelle a modelé les mécanismes de régulation de l'appétit. En période de famine, c'était le plus gros qui survivait mais il était difficile de faire des stocks et d'avoir un surplus de poids car il nous fallait souvent marcher longtemps afin de trouver notre nourriture. En période d'abondance, il était donc prudent de manger autant que possible, en particulier du sucre et des graisses, et d'économiser nos forces, de paresser pour gaspiller le moins de calories. Ce système convient très bien encore dans les plaines de l'Afrique mais beaucoup moins à Neasden où le supermarché local est ouvert 24 heures sur 24 et 7 jours sur 7 et à une époque où l'on peut commander tout ce que l'on désire sur Internet sans bouger de son canapé. Dans les pays industrialisés, où notre régime alimentaire ne connaît aucune limite, la consommation de produits hyper caloriques et hyper gras a entraîné une épidémie de maladies. L'obésité des adultes est en augmentation constante et atteint des seuils inquiétants. Au Royaume-Uni, les cas d'obésité ont presque quadruplé durant ces vingt-cinq dernières années : 22 % des hommes et 23 % des femmes sont désormais considérés comme obèses. Conséquence : l'obésité a augmenté de façon significative le taux de mortalité avec 9 000 décès par an attribués à cette seule cause ; en outre, les obèses sont davantage sujets à des affections telles que le diabète, les maladies cardiaques, le cancer, les attaques, la dépression, l'arthrite. Certains pensent que la sélection naturelle résoudra un jour probablement ce problème (Nesse, 2001), mais cela pourrait prendre des centaines ou des milliers de générations.

Mis à part les effets sur la santé, comment les obèses sont-ils perçus dans la société ?

Les signes de l'obésité sont évidemment difficiles à dissimuler et l'aspect d'un individu est ce qui souvent domine la perception qu'on a de l'autre, refoulant d'autres caractéristiques comme la personnalité ou le tempérament. L'aversion contre les obèses est une tendance générale quels que soient l'âge, le genre et l'ethnie. Toutes les études ont montré que l'obésité est en général associée à des préjugés négatifs en particulier en Occident. Par exemple, les obèses sont considérés comme diminués moralement et affectivement, handicapés socialement (Crandall et Biernat, 1990), dépourvus de sexualité (Millman, 1980), paresseux, sans intérêt, malheureux, impopulaires et peu soignés (Tiggeman et Rothblum, 1988 ; Cogan *et al.*, 1996).

Le cliché sans doute le plus préjudiciables aux obèses est l'idée répandue qu'ils n'ont qu'à s'en prendre à eux-mêmes, qu'ils sont responsables de la situation dans laquelle ils sont parce qu'ils sont trop faibles pour réguler leur comportement alimentaire (Crandall, 1994 ; Crandall et Biernat, 1990).

Voilà en quoi le stéréotype de l'obésité est différent des autre stéréotypes : on pense souvent que ceux qui en souffrent sont la cause de leurs maux. Tandis qu'il est impossible de contrôler certaines particularités physiques, l'obésité est mal perçue parce que la croyance populaire veut que les causes majeures en soient la suralimentation et le manque d'exercice. Quand une *circonstance négative*, telle que l'obésité, est attribuée à une cause contrôlable, les gens ont tendance à émettre des jugements et des réponses émotionnelles négatifs (Weiner *et al.*, 1988). Des études menées auprès d'adultes ont confirmé que des attitudes négatives vis-à-vis des personnes en surpoids sont directement liées à la perception d'un manque de contrôle du poids (Allison *et al.*, 1991 ; Crandall, 1994).

L'expression *erreur essentielle d'attribution* a été créée pour décrire la tendance qu'ont ceux qui critiquent le comportement de quelqu'un (par exemple : manger trop), à mettre cela sur le compte d'un problème de comportement (par exemple : la paresse) plutôt que sur des facteurs sociaux et/ou environnementaux qui pourraient également jouer un rôle. L'erreur de jugement se produit lorsque l'on extrapole, passant d'une caractéristique mesurable (par exemple : le poids) à une caractéristique sans rapport avec elle (par exemple : la paresse).

On comprend aisément comment l'hypothèse : *obésité égale manger trop et ne pas bouger assez* est née et a prospéré. Sauf que lorsque les scientifiques se penchent sur la question et mènent une enquête sur l'obésité chez les jumeaux, ils découvrent que celle-ci est souvent provoquée par des facteurs génétiques ou des dysfonctionnements du métabolisme (Stunkard *et al.*, 1986).

Comment notre attitude *anti-gras* se manifeste-t-elle ?

Les associations négatives commencent tôt dans la vie.

On a demandé à 25 enfants âgés de 2 à 5 ans d'associer des traits de caractère comportementaux et sociaux à des poupées de tailles, de formes et de genres différents.

Les traits de caractère négatifs furent davantage attribués à des poupées grosses et plus souvent aux poupées filles obèses qu'aux poupées garçons obèses (Turnbull *et al.*, 2000).

Quand on présente des photos montrant des enfants en chaise roulante, ou sans bras, ou marchant avec des béquilles, ou obèses, ou enfin avec le visage défiguré, la plupart des enfants interrogés déclarent que l'enfant avec lequel ils aimeraient le moins jouer est l'enfant obèse (Rothblum, 1993).

Afin de corriger le préjugé anti-gros chez les enfants, des chercheurs ont donné des cours à 42 enfants afin de leur expliquer les difficultés du contrôle du poids, ceci dans l'espoir qu'ils auraient moins d'idées reçues contre les personnes grosses qu'ils croiseraient. Après ces cours, les enfants connaissaient mieux qu'auparavant cet aspect de l'obésité mais le préjugé demeurait (Anesbury et Tiggeman, 2000).

Si les enfants sont parfois cruels, leurs parents peuvent l'être également. Une étude montre que les filles en surpoids étudiantes à l'université, reçoivent moins d'aide financière que les autres de la part de leurs parents. Une étude réalisée sur 1 029 étudiantes et 3 386 lycéennes a montré que le seul facteur ayant une influence sur le niveau d'aide financière des parents était le poids des étudiantes. Le niveau de financement n'était pas du tout affecté par les revenus des parents, la capacité de payer, l'origine ethnique, la taille de la famille ou le nombre d'enfants allant à l'université (Crandall, 1995).

> Si vous adhérez au préjugé anti-gros et que vous soyez persuadé que c'est la faute de votre fille si elle est grosse, vous aurez tendance à penser qu'elle ne tirera aucun bénéfice d'une instruction supérieure.
>
> Crandall, 1995.

Le fait que l'on n'ait pas trouvé de lien entre le financement des études de leur fils et l'obésité de celui-ci prouve que le préjugé sur le poids s'applique surtout aux femmes ; ces résultats choquants illustrent à quel point ce stéréotype anti-gros est gravé en nous. Un préjugé auquel sont sensibles également les responsables des bureaux d'inscription des universités. Ainsi, il est prouvé que de prestigieuses universités acceptent moins les inscriptions d'étudiants obèses, même si leurs performances scolaires, leurs diplômes ou leurs dossiers de candidature sont identiques à ceux de la moyenne des autres candidats (Crandall, 1995).

Une fois que ces étudiants obèses sont diplômés, leur bataille se poursuit. Les personnes obèses sont en général associées à des emplois ne requérant que peu de contact avec le public. Elles sont rejetées dans de nombreuses situations de recrutement simplement parce que en raison de leur surpoids, elles ne sont pas perçues comme ayant les qualités requises pour ces postes (Venturini *et al.*, 2006).

Même les professionnels de la santé travaillant avec les obèses affichent des attitudes négatives vis-à-vis des personnes en surpoids (Teachman et Brownell, 2001). Les associations, dans ce cas, ont plus tendance à être implicites qu'explicites : par exemple, ils ne diront pas ouvertement que les gros sont paresseux, mais quand lors d'une enquête on leur demande d'associer des mots deux à deux en appuyant sur un bouton, ils vont plus vite associer *gros* à *paresseux* ou *mauvais* qu'à *bon* et *motivé.*

Je suppose que vous n'êtes pas convaincu par l'argument selon lequel l'obésité serait due à des facteurs génétiques. Comme nous l'avons vu précédemment, les recherches ont démontré que les stéréotypes sur le poids se développent tôt dans la vie ; ils sont aussi difficiles à faire évoluer et ils sont véhiculés autant par les personnes d'un poids normal que par celles en surpoids (Crandall et Biernat, 1990). Par conséquent, ce n'est pas surprenant que NHS Direct, le service d'assistance téléphonique, suggère que la meilleure façon de lutter contre l'obésité est de réduire le nombre de calories que vous absorbez et de faire plus de sport (NHS Direct, 2008).

En revanche, ce qui est plus étonnant, c'est que la recherche médicale soutienne que l'obésité n'est souvent pas contrôlable sur le plan individuel.

En voici pourtant la preuve contraire.

Mon ami Neil pratiquait le surf (mal) et l'escalade (mieux), et à cette époque il était plutôt mince, jusqu'à ce que sa carrière le contraigne à une vie plus sédentaire. Lorsqu'il fit un check-up médical, il fut alarmé d'apprendre qu'il était désormais considéré comme un obèse. Il se remit aussitôt à l'escalade, se rendit deux fois par semaine à la salle de sport et surveilla son alimentation. Aujourd'hui, il a retrouvé son poids de jeune homme. Cet exemple, comme tant d'autres, montre que certaines obésités cèdent lorsqu'on les contrôle. Manger moins, bouger plus, est la recette qui marche pour beaucoup.

Mais il y a aussi des facteurs sociaux et psychologiques qui peuvent influencer la motivation d'un individu et sa capacité à exercer son contrôle. Ajoutez à cela des troubles du métabolisme ou des problèmes génétiques et le contrôle du poids sera impossible. C'est à chacun de décider de rechercher les causes possibles de son surpoids et de la meilleure façon de vivre avec, ou de le vaincre. Il n'est pas juste de qualifier tous les gros de paresseux simplement parce que parfois, on peut modifier son poids en faisant un régime et de l'exercice.

Et c'est peut-être nous qui portons sur eux un regard sans pitié qui avons un problème.

Bien que la recherche suggère que même les obèses montrent des attitudes anti-gros (Crandall, 1994), tout le monde ne pense pas de cette façon.

Aux États-Unis, la National Association to Advance Fat Acceptance (l'Association nationale pour faire avancer l'acceptation des gros) travaille activement pour l'égalité des chances des personnes en surpoids et pour améliorer leur qualité de vie (NAAFA, 2008).

Il y a aussi ceux qui, sans mener de campagne de propagande ou faire du poids un problème politique, voient la grosseur comme un attribut positif.

Il y a une forte pression sociale pour supprimer la discrimination fondée sur la race ou le sexe, mais il n'y en a pas pour réprimer les attitudes anti-gros. Des comédiens qui ne se risqueraient pas à faire une blague raciste ne se gênent pas pour faire rire aux dépends des gros.

Jimmy Carr racontait la blague suivante lors du Royal Variety Performance en 2002 :

Une femme bien charpentée m'a abordé la semaine dernière pour se plaindre d'une de mes blagues. Elle m'a dit, vous êtes fattist *(raciste anti-gros) ; je lui ai répondu, c'est vous qui êtes* fattest *(trop grosse).*

Mais être gros n'est pas un sujet de distraction, pas plus que le préjugé anti-gros. Afin d'en finir avec le cliché de l'obésité, il faut que nous prenions davantage conscience des difficultés que rencontrent les obèses et que les médias et les programmes éducatifs prennent le relais dans ce sens.

Une grosse patate mollassone ? N'oublions pas que les pommes de terre sont des légumes aussi courageux que travailleurs : on peut les manger sautées, frites, mijotées, en gratin dauphinois… sans oublier les chips.

Cela dit, il serait peut-être plus raisonnable d'éviter les chips…

Lire aussi : Recherche jolie femme – Recherche homme bonne situation ; Belle et mince ; Les étudiants se la coulent douce.

Les politiciens sont des menteurs

Je n'ai pas eu de relations sexuelles avec cette femme, Miss Lewinsky. Je n'ai jamais demandé à qui que ce soit de mentir, jamais. Ces allégations sont fausses.

Bill Clinton, Washington DC, 26 janvier 1998.

Cette citation est un bon exemple d'un homme politique pris en flagrant délit de mensonge.

Mais il y a une multitude d'autres occasions dans lesquelles les hommes politiques, comme ils le disent eux-mêmes, *prennent leurs aises avec la vérité.* En somme, une vérité sélective.

Reconnaissons qu'ils ne le font pas toujours exprès, il leur arrive d'agir de bonne foi à partir d'informations erronées ou bien de prendre des décisions qui se révéleront imprudentes par la suite. Quoi qu'il en soit, dès que l'on remet en question l'honnêteté d'un homme politique, que cela soit justifié où pas, le débat est passionné et les esprits s'échauffent. Cela ne laisse personne indifférent.

Pendant la guerre des Malouines en 1982, le cuirassé argentin *General Belgrano* fut torpillé par le sous-marin britannique HMS *Conqueror.* À ce moment-là, le cuirassé naviguait loin de la zone de combats, aussi la déclaration officielle qui prétendit le contraire provoqua une intense discussion politique.

Plus récemment, le Premier ministre anglais, Tony Blair, affirma que Saddam Hussein avait lancé un programme militaire comprenant des armes de destruction massive prêtes à être utilisées en moins de quarante-cinq minutes. Lorsque ces allégations furent remises en cause, cela fit un grand tapage dans le pays.

Mon propos ici n'est pas de désigner Untel ou Untel, ou de dire celui-ci a menti et pas celui-là. Ce qui m'intéresse, c'est de rechercher les origines du mensonge.

Pourquoi mentons-nous tous, et pourquoi certains politiciens semblent-ils particulièrement attirés par ce subterfuge ? Avant d'aller plus loin, cela vous intéressera peut-être d'apprendre que, dans la nature, l'homme politique n'est pas la seule espèce capable de mentir. Certaines femelles oiseaux font semblant d'être blessées pour attirer les prédateurs vers elles afin de les détourner de leur nid. Les grands singes sont aussi capables de mentir. La psychologue Francine (Penny) Patterson a appris à un gorille en captivité nommé Koko, le langage des signes américain. Un jour, après avoir piqué une colère et cassé un évier du laboratoire, le gorille fit un signe signifiant que c'était le chat qui était responsable des dégâts ! (Patterson, 1987)

Le philosophe allemand Friedrich Nietzsche (1844-1900) a affirmé que le mensonge était vital à notre survie à tous (une condition nécessaire). En 1996, Bella DePaulo de l'université de Virginie a voulu tester cette affirmation. Elle a demandé à 147 personnes âgées de 18 à 71 ans de noter dans un journal intime tous les mensonges qu'elles prononçaient au cours d'une semaine. Le mensonge avait été défini comme une formulation délibérément trompeuse et véhiculant une fausse impression. De faux compliments, comme « Quelle jolie coiffure ! » étaient considérés comme des mensonges pieux et n'étaient pas comptés. Conclusion : il a été prouvé que la majorité des participants mentaient une à deux fois par jour. Lors d'un dialogue de dix minutes ou plus, les femmes comme les hommes, mentaient approximativement un cinquième du temps. Sur une semaine, ils avaient trompé 30 % de ceux à qui ils s'étaient adressés (DePaulo *et al.*, 1996).

On s'attend à un minimum de mensonges de la part de certaines professions : les agents immobiliers, les avocats, les vendeurs de voitures d'occasion, les publicitaires font tous de jolis profits avec des demi-vérités.

Et nous ?

Le psychologue Leonard Saxe a souligné que, tout au long de notre vie, nous recevons des messages contradictoires en la matière (Science Blog, 2004). Bien que l'on nous enseigne dès la naissance que dire la vérité est important, la société nous décourage souvent de poursuivre dans cette voie.

Les très jeunes enfants sont incapables de mentir de façon convaincante parce qu'il leur est difficile de voir les choses du point de vue de l'autre, ce qui est le préalable indispensable à un mensonge réussi. Mais à partir de 4 ou 5 ans, beaucoup ont déjà compris que mentir permet d'échapper aux punitions. Un succès précoce nous encourage à continuer à mentir de temps en temps jusqu'à l'adolescence et la vie adulte. Voyons les choses en face : quand vous êtes en retard à votre travail, il est souvent plus facile de mentir et d'en attribuer la cause aux embouteillages plutôt que de reconnaître que vous aviez la gueule de bois et une panne d'oreiller. Ce mensonge pourrait même soulager votre patron, car il lui évite de sévir à votre endroit.

L'une des raisons qui font que nous continuons à mentir est que nous croyons que le mensonge en question n'aura aucune conséquence, et les recherches prouvent que nous avons probablement raison. La plupart des gens, en particulier les hommes politiques, seront soulagés d'apprendre que trente ans de recherches psychologiques ont montré que les êtres humains ne savent pas très bien détecter les mensonges.

L'une des idées reçues sur les menteurs est qu'ils détournent les yeux, ne vous regardent pas en face, remuent beaucoup, se touchent le nez, se raclent la gorge, beaucoup plus que quelqu'un qui dit la vérité.

C'est faux.

En général, les menteurs bougent moins leurs bras, leurs doigts et leurs mains et clignent moins des yeux que les personnes qui disent la vérité. Quant à leur voix, elle est plus tendue et plus aiguë. Mais ces indices sont difficilement décelables : des études en laboratoire ont montré qu'en moyenne, on ne repère que 55 % des menteurs (Lock, 2004).

En observant, sur une longue période, le comportement d'un homme politique en particulier, les psychologues peuvent parfois identifier des indicateurs d'attitudes qui fournissent des preuves quant à sa sincérité ou au fait qu'il ment. Tony Blair tripote son petit doigt quand il est anxieux, Bill Clinton se mord la lèvre supérieure quand il est stressé – il l'a fait quinze fois le jour de sa confession sur sa relation avec Monica Lewinsky (Peter Collett rapporté par Leadbeater, 2006).

Que nous remarquions ces signes ou pas, nous savons tous que les hommes politiques mentent, ou au moins déforment la vérité, utilisent des slogans dénués de sens et le double langage. Le Centre des études politiques a rendu un rapport sur ces altérations de la vérité de la part des hommes politiques qui souligne le fait que ces derniers sont constamment en train d'*écrire sur du sable* (Centre for Policy Studies, 2008). Parfois, ils affirment avoir tiré des leçons du passé et de leurs erreurs et « qu'ils vont désormais accorder une considération particulière à des problèmes sur lesquels ils ont une position très claire », alors qu'ils n'en font rien.

Les hommes politiques savent que ces phrases qu'ils prononcent avec conviction sont des billevesées mais ils continuent à croire qu'ils peuvent s'en tirer comme cela.

Est-ce nous qui les forçons à mentir parce que nous attendons trop de leur part ? Je crois que oui. Ils sont humains et s'ils révélaient au grand jour toutes leurs fautes et tous leurs écarts de conduite, il n'y aurait plus de place dans l'actualité pour autre chose. Après tout, même John Major, le plus terne des Premiers ministres dont on dit qu'il a fui tout le panier de crabes politique pour rejoindre un cabinet d'expertise comptable, avait une liaison extraconjugale secrète alors qu'il était au gouvernement. Dire la vérité ou demander pardon implique de perdre la face devant des millions de gens et peu en ont envie.

Les hommes politiques mentent parfois aussi pour une autre raison : parce qu'ils sont sûrs que nous ne voulons pas connaître la vérité.

Avons-nous vraiment envie de savoir que notre système de santé est dans un état épouvantable, que le pays est en pleine faillite et que nos pensions de retraite seront réduites à rien lorsque le temps sera venu pour nous de prendre un repos bien mérité ? Sans doute pas.

Néanmoins, quelque chose en nous aspire à la candeur. Dans le film *Love actually* de Richard Curtis en 2003, l'acteur Hugh Grant joue le rôle d'un Premier ministre déterminé à dire la vérité aux Anglais quant aux relations réelles entre la Grande-Bretagne et les États-Unis. Il explique ainsi que ces relations ont tourné à l'aigre, que les États-Unis sont devenus un persécuteur et qu'il a l'intention de s'élever contre cela avec plus de force dans l'avenir. Bien que son personnage ne dise que ce que le peuple sait déjà, on le félicite d'avoir osé dire la vérité.

Tony Blair a commenté ce passage du film en disant : « Je sais que certains d'entre vous aimeraient que je fasse comme Hugh Grant dans *Love actually* et que j'envoie promener l'Amérique, mais une telle attitude aurait des conséquences dévastatrices. »

J'ai l'impression que nous commençons à accepter l'idée que les politiciens mentent peut-être parce que nous savons que nous mentons tous et que malheureusement, les hommes politiques ne sont pas différents de nous.

Si cela vous intéresse, j'ai découvert le moyen infaillible de savoir quand un homme politique ment : ses lèvres bougent quand il parle.

Le génie fou

L'idée selon laquelle il y aurait un lien entre le génie créatif et la folie remonte à la Grèce antique qui voyait la créativité et les arts comme les produits d'un trouble mental donné aux humains par les dieux.

Le stéréotype du fou génial est assez commun. De nombreux créateurs célèbres étaient, semble-t-il, touchés par la folie : il y a une multitude d'exemples dont le peintre Vincent Van Gogh, le compositeur Robert Schumann, les poètes Byron et Tennyson. Sont-ils des exceptions ou au contraire, est-il vrai qu'il y a un lien entre le génie créatif et l'instabilité mentale ?

Une des façons d'examiner les différents liens entre démence et génie est d'explorer le passé. Ce n'est pas toujours chose aisée parce qu'il y a des variations à la fois dans la définition du mot génie et l'exactitude des données que nous avons à notre disposition. Cela dit, il apparaît que les symptômes psychologiques sont plus répandus chez les personnes créatives que dans le reste de la population : en fait, les gens créatifs souffrent deux fois plus de troubles mentaux que les autres (Ellis, 1926).

Plus une personne est créative, plus elle risque d'être sujette à la dépression mentale et les génies artistiques semblent en être plus affectés que les génies scientifiques : 87 % des poètes célèbres souffrent, ou ont souffert, d'une sorte de psychopathologie, contre seulement 28 % des scientifiques qui sont passés à la postérité (Ludwig, 1995).

Est-ce que cela signifie que les artistes se servent de l'expression créatrice comme d'un exutoire pour dire ce qu'ils ressentent, ou bien est-ce leur trop-plein d'émotions qui contribue à leur créativité ?

On a comparé des informations sur les vies de 291 des plus grands créateurs de notre temps, qu'ils soient mathématiciens, inventeurs, compositeurs, peintres, sculpteurs, hommes politiques, architectes, philosophes, historiens, économistes, poètes, écrivains ou auteurs dramatiques (Post, 1994). Certains, comme Albert Einstein, Claude Monet, Pablo Picasso ou Charles Dickens sont indéniablement des génies dans leurs domaines. On a relevé un taux élevé de troubles mentaux et notamment chez les écrivains, qui étaient de loin le groupe de créateurs le plus touché par l'alcoolisme et la dépression. Ces résultats étaient tellement frappants que les auteurs de l'étude sont allés jusqu'à prétendre que toutes ces affections et ces maux n'étaient directement liés à de grandes qualités créatrices.

Les données psychiatriques actuelles sur des créateurs contemporains suggèrent également que l'on rencontre un plus grand nombre de psychopathologies chez les individus créatifs : dépression, alcoolisme et suicides sont des indicateurs courants (Simonton, 2005).

Dans les années 1950 et 1960, différents tests de la personnalité ont été effectués auprès de groupes de personnes créatives et non créatives. Les premières obtenaient en général des résultats plus élevés sur les indicateurs de personnalité qui sont fréquemment associés à différentes pathologies mentales, et à nouveau, de façon plus significative pour les artistes que pour les scientifiques (Simonton, 2004).

Signalons néanmoins que les résultats des individus les plus créatifs étaient largement en dessous de personnes reconnues et considérées comme psychotiques.

Ce qui n'est pas étonnant, c'est que les individus créatifs obtiennent aussi des scores élevés dans des domaines comme l'indépendance et le non-conformisme, qui sont des éléments importants du processus créatif (Eysenck, 1995).

Les gens créatifs sont aussi souvent plus ouverts et sensibles que les autres aux stimuli extérieurs. Pour la plupart, nous ne tenons pas compte des informations qui n'ont pas de rapport avec nos préoccupations ; en quelque sorte, nous faisons le tri parmi toutes les informations que nous recevons en permanence. Ce processus est appelé *inhibition latente.* Les chercheurs ont démontré que les gens très créatifs ont un niveau plus faible d'inhibition latente que les autres, ce qui laisse supposer qu'ils sont plus attentifs et plus sensibles au flot d'informations qui leur parviennent à travers leurs cinq sens. Cela contribue au processus de création, surtout lorsque cette disposition est combinée avec une intelligence supérieure et une capacité à se concentrer sur plusieurs choses en même temps.

Ces faibles niveaux d'inhibition latente peuvent prédisposer, selon les conditions, soit à des maladies mentales, soit à un accomplissement créatif (Carson *et al.*, 2003).

On comprend alors aisément que l'on puisse se sentir englouti par tout ce flot de stimuli et que l'impossibilité de distinguer l'arbre parmi la forêt d'informations puisse mener à l'anxiété et au désespoir. Heureusement, les résultats de tests de personnalité prouvent aussi que les gens créatifs ont également des traits de caractère qui diminuent le risque de voir apparaître des troubles mentaux. Ils sont, par exemple, plus indépendants et autonomes que les autres, ils ont un amour-propre plus solide que la moyenne et une façon de raisonner divergente, originale et personnelle. C'est la raison pour laquelle ils sont en général capables de contrôler les pensées bizarres qui germent dans leur esprit et de les transformer en processus de création.

Kay Redfield Jamison, un professeur de psychiatrie de la Johns Hopkins University School of Medicine de Baltimore, avance que les personnes les plus créatives connaissent plus souvent des troubles de l'humeur que le reste de la population. Néanmoins, la majorité des gens qui montrent des signes de psychopathologie ne sont pas extraordinairement créatifs. Inversement, la majorité des gens extraordinairement créatifs ne montrent pas de symptômes de psychopathologie.

Alors, quel est le lien entre les troubles mentaux et la créativité ?

Jamison suggère que certains des symptômes les plus bénins de manie ou de folie sont similaires à des pensées et des idées créatives. Être extrêmement à l'écoute, être agité, irritable, fourmiller d'idées, passer d'un concept à un autre sont aussi bien les signes d'un esprit créatif que d'une légère panique. Il y a tant de pensées qui s'agitent dans la tête des personnes survoltées qu'il est plus que probable que certaines d'entre elles soient créatives. Dans les versions en laboratoire du jeu d'association de mots, on remarque que les personnes subissant un épisode maniaque (hystérie, démence) forment beaucoup plus de nouvelles associations avec les mots proposés que les personnes qui ont conservé leur maîtrise de soi. Lors d'une étude menée avec ce groupe, le nombre d'associations de mots courants a chuté de 30 % alors que celui de mots originaux a augmenté de 300 %. Le changement dans le processus mental favorise donc les pensées originales (Jamison, 1993).

Jamison croit que les personnes créatives souffrant de troubles bipolaires, ce que l'on nomme aussi la psychose maniaco-dépressive, ont en elles un processus inné de mise au point qui leur permet de supporter la surabondance d'informations qu'elles reçoivent durant leurs épisodes de démence. Les moments de dépression permettent de mettre en perspective réaliste tout ce qui est produit pendant la phase de troubles. Il se peut aussi qu'un travail créatif procure une libération sur le plan émotionnel lors d'épisodes de légère dépression.

Voici ce qu'écrivit le poète TS Eliot (1888-1965) :

> La poésie, ce n'est pas une façon de lâcher ses émotions, mais une façon de leur échapper, ce n'est pas l'expression de la personnalité, mais un moyen de la fuir. Mais, bien sûr, seuls ceux qui ont de la personnalité et de l'émotion savent ce que signifie vouloir s'évader de ces choses.
>
> Eliot, 1919.

Il semble qu'Eliot suggère lui-même que dans certaines circonstances, une psychopathologie favoriserait le processus créatif. Ce point de vue était partagé par l'artiste Edvard Munch (1863-1944) qui se méfiait des traitements médicaux proposés pour soigner ses souffrances, il était convaincu que ses problèmes émotionnels faisaient partie intégrante de sa personnalité et de son art. Un autre lien entre la cyclothymie et la créativité fut établi par des chercheurs de l'université de Stanford qui pratiquaient des tests de personnalité sur des enfants. Ils découvrirent que, sur une échelle de créativité, des enfants dont les parents souffraient de troubles maniaco-dépressifs obtenaient des résultats bien meilleurs que ceux des autres enfants, ce qui suppose qu'il y aurait peut-être un lien génétique entre troubles de l'humeur et créativité (Simeonova *et al.*, 2005). Mais il est également possible que ces parents aient créé un environnement particulièrement stimulant, ce qui aurait pu avoir une influence sur les enfants.

En conclusion, il semble bien que *génie* et *folie* (psychopathologie) soient liés. Il n'est pas nécessaire d'être fou pour créer, mais la folie peut contribuer aux efforts artistiques. Vincent Van Gogh peignit 80 toiles dans les deux derniers mois dépressifs de sa vie et sa souffrance mentale a contribué indéniablement à la profondeur et à la résonnance de son travail. Cela dit, il n'y a pas assez de preuves pour avancer que la relation entre folie et génie est directe et mesurable ou encore que les deux marchent forcément ensemble.

Peu de génies pourraient être qualifiés de fous et la personnalité hors du commun des exceptions n'en fait pas une règle. La plupart du temps, les troubles psychiques sont plus une entrave et une gêne sur le plan comportemental, qu'il soit ou non artistique.

Lire aussi : Le schizophrène à la double personnalité ; Les fous sont dangereux.

LE VIEUX SCHNOCK

Quelqu'un qui n'a pas apporté une contribution majeure à la science avant l'âge de 30 ans, ne le fera jamais.

Albert Einstein (Brodetsky, 1942).

Quand j'avais 20 ans, je me disais que 40 ans c'était vieux et très loin ; aujourd'hui, alors que j'ai 40 ans, je suis plus prudent – et étant donné que les gens vivent plus longtemps, j'aime à penser qu'avoir 40 ans, c'est comme en avoir 20 autrefois.

Après tout, Mick Jagger semble lui-même penser que 65 ans aujourd'hui, c'est comme les 20 d'autrefois ! Et de toute façon, il n'est pas irréaliste de temps en temps de penser à l'avenir et de faire des projets, même passé un certain âge.

Le vieux schnock est le stéréotype de la personne démodée et dépassée, en somme de quelqu'un qui n'est plus dans le coup.

Est-ce cela qui nous guette tous ou bien y a-t-il autre chose en magasin ?

Le psychanalyste Erik Erikson (1968) qui décrit les étapes physiques, émotionnelles et psychologiques que nous traversons tout au long de nos vies, suggère que lorsque l'on arrive à un âge avancé, on a tendance à réfléchir à sa jeunesse et alors que certaines personnes âgées manifestent un sentiment de perte, des regrets et de l'amertume, d'autres sont heureuses de ce qu'elles ont accompli.

Beaucoup d'entre nous disent craindre la vieillesse, parce que celle-ci s'accompagne souvent d'infirmités physiques et mentales, mais ce n'est pas forcément le cas. Bien sûr, il est vrai que de nombreuses maladies et affections sont liées à l'âge, mais une dégénérescence générale est loin d'être inévitable. Il nous arrive souvent ce à quoi nous nous attendons, que ce soit pour nous ou pour les autres. Si votre plus jeune frère oublie votre anniversaire, vous vous dites que c'est parce qu'il est débordé, mais si c'est votre vieille mère qui oublie de vous appeler ce jour-là, vous mettez cela sur le compte de la vieillesse. Si vous avez 80 ans et que vous perdiez votre porte-monnaie ou votre sac à main, cela ne signifie pas que vous n'êtes plus capable de gérer vos finances : après tout, cela arrive aussi aux jeunes de perdre des choses. Il ne faut pas généraliser exagérément, au risque d'entamer sérieusement votre confiance en vous. Ce n'est pas parce que nous ne pouvons plus accomplir une tâche en particulier qu'il faut en conclure aussitôt que d'autres sont aussi sorties de notre domaine de compétence.

Ce qui compte pour vieillir en restant en bonne santé, c'est l'état d'esprit. Une attitude positive, la fameuse positive attitude, et un bon mental peuvent souvent compenser un déclin physique.

L'un des domaines dans lesquels les plus âgés sont souvent considérés comme *dépassés* est évidemment celui de la sexualité. Alors que les femmes peuvent continuer à avoir des relations sexuelles jusqu'à un âge avancé, les hommes ont parfois moins de chance. L'impuissance augmente avec l'âge et touche 67 % des hommes de 70 ans. Les effets de l'impuissance ne se limitent pas à la chambre à coucher, cela a également des conséquences sur l'estime de soi et sur les relations de l'homme avec sa partenaire. Bien sûr, l'âge n'est pas le seul facteur ayant une incidence sur l'érection masculine : l'anxiété et la peur de ne pas être à la hauteur peuvent aussi aggraver le problème (Master et Johnson, 1970).

Quand on emploie le stéréotype du vieux schnock, on pense à une personne âgée (disons, de 65 ans et plus), peu ouverte aux nouvelles techniques, qui du reste n'a pas envie de les apprendre et qui probablement, même si elle le voulait, ne le pourrait pas.

Il est vrai que plus on vieillit, plus on a de mal à apprendre. Plus la tâche est difficile et exigeante, plus le déficit en capacité d'apprentissage est prononcé. C'est peut-être parce que, avec l'âge, le cerveau perd sa capacité à traiter rapidement les informations (Cunningham et Brookbank, 1988).

Les plus âgés oublient aussi les nouvelles acquisitions plus vite que les plus jeunes mais cela semble résulter davantage d'un problème d'apprentissage que d'un déficit de mémoire en tant que tel. En fait, c'est une question de rythme : quand on est âgé on apprend plus lentement que lorsqu'on est jeune.

La science a cherché divers moyens de ralentir le déclin de la vieillesse.

Des chercheurs ont donné à un groupe de chiens de race beagle un mélange spécial de vitamines et de minéraux tout en les maintenant dans un environnement stimulant. Ils ont observé un ralentissement significatif de la dégénérescence, contrairement à un autre groupe de chiens qui lui n'avait reçu qu'un régime alimentaire enrichi (Milgram *et al.*, 2005).

Comme le fonctionnement anatomique cérébral des chiens est comparable au nôtre, ces recherches ont un intérêt pour les humains : outre une alimentation saine, cela ne pourrait pas nous faire de mal, arrivés à un certain âge, de faire une ou deux grilles de mots croisés par jour et de continuer à apprendre des choses nouvelles.

Voilà pour la capacité d'apprentissage, mais qu'en est-il de la motivation ? L'hypothèse, selon laquelle les personnes âgées seraient moins motivées que les jeunes, n'est pas prouvée par les recherches en laboratoire ; au contraire, les anciens manifestent un vrai enthousiasme. Leur empressement à apprendre les nouvelles technologies suggère que c'est aussi le cas dans la vie de tous les jours. Bien que certains prétendent que les vieux ont une attitude initiale de méfiance à l'égard des ordinateurs, il n'y a qu'à voir le nombre croissant de surfeurs du troisième âge qui se baladent sans problème sur Internet. Avec du temps, de la patience, de l'entraînement, de la motivation et une attitude positive, les nouvelles technologies sont désormais à leur portée (Kelley et Charness, 1995).

Sous certains aspects, dans certains domaines, les hommes déclinent plus vite que les femmes.

Les courbes de délinquance criminelle montrent que la plupart des crimes sont commis entre 16 et 22 ans, de même que la majorité des comportements à risque.

Comme la courbe de la délinquance, il y a une courbe du génie, qui montre que la productivité des hommes exceptionnels diminue avec l'âge : Paul McCartney, J.D. Salinger, Orson Welles et James Watson en témoignent.

Sur un échantillon de 280 scientifiques, 65 % ont fait la découverte de leur vie ou apporté à la science une contribution majeure, autour de la trentaine. On retrouve du reste la même relation âge-productivité chez les musiciens de jazz, les peintres, les auteurs ou les criminels. Cette productivité serait due à deux éléments : le génie et l'effort. Le génie ne décline pas nécessairement avec l'âge, mais c'est immanquablement le cas de l'effort : Paul McCartney serait peut-être encore capable d'écrire un autre *Yesterday*, mais avec la place qu'il occupe déjà dans l'histoire de la musique et sa fortune estimée à près de 220 millions d'euros au chaud à la banque, il n'a sans doute pas la motivation nécessaire pour le faire (Kanazawa, 2003).

Même si vous n'avez ni le talent d'un criminel, ni celui d'un génie, ce lien entre effort et productivité vous concerne, comme nous tous, du reste.

La raison essentielle du déclin de la productivité chez les hommes est que le crime et le génie sont tous deux des manifestations du désir de compétition d'un jeune homme pour trouver une partenaire et par conséquent assurer sa descendance.

Les années qui passent et certains événements de la vie – le mariage, la naissance des enfants, l'augmentation du train de vie et du patrimoine – peuvent provoquer une baisse sensible de productivité chez un homme. Simplement parce que celui-ci va alors consacrer son énergie et ses ressources à protéger ces nouveaux éléments dans sa vie, c'est-à-dire son foyer et sa famille, et à s'investir dedans. Une fois qu'il a atteint son but et eu ce qu'il désirait, il ne ressent plus nécessairement le besoin de chercher davantage.

La bonne nouvelle pour les femmes, c'est que la courbe âge-génie est moins évidente : les femmes plus âgées peuvent toujours être à la hauteur quand leur compagnon montre déjà des signes de fatigue.

Les anciens ne sont pas de vieux schnocks. Ils ont simplement besoin d'un peu plus de temps et d'efforts que vingt ans plus tôt pour accomplir les mêmes tâches.

Si vous êtes dans ce cas, vous devez modifier votre style de vie dans les domaines où c'est nécessaire et surtout avoir une attitude positive.

Si vous ne pouvez plus conduire, cela ne signifie pas que vous êtes condamné à rester enfermé chez vous, vous pouvez toujours prendre le bus ou un taxi. Et dites-vous qu'en général, les bénéfices de l'expérience compensent le déclin.

Le problème principal auquel vous devrez faire face en prenant de l'âge, c'est justement le vieillissement de la population en Occident.

Et si vous vous retrouvez au chômage à 55 ans ? On risque de vous dire que vous êtes trop vieux et on vous poussera à la retraite anticipée. Heureusement que la retraite, ce n'est plus l'image du vieux papi somnolant dans son fauteuil. Cela peut au contraire être une opportunité à saisir, comme de prendre enfin cette fameuse année sabbatique dont vous avez toujours rêvé, de faire le tour du monde, rassuré par le fait que votre pension de retraite vous garantit un revenu à vie. Sinon, vous pourriez vous retirer à Alice Springs : savez-vous que les Aborigènes, comme les Chinois du reste, considèrent *les vieux* comme les dépositaires de la sagesse et des traditions ?

Vous seriez alors enfin traité avec tout le respect que l'on vous doit !

Lire aussi : Recherche jolie femme – Recherche homme bonne situation.

La rousse sulfureuse

Deux marins en permission marchent dans la rue lorsqu'ils aperçoivent une superbe blonde. Le premier marin demande au second : « Tu as déjà couché avec une blonde ? » Le second répond : « Oui. » Ils continuent à marcher et croisent une brune. Le premier marin demande au second : « Tu as déjà couché avec une brune ? » Le second marin répond au premier : « Bien sûr, j'ai déjà couché avec sept brunes. » Ils continuent à marcher et aperçoivent une splendide rousse qui traverse la rue. Le premier marin demande alors : « Et est-ce que tu as déjà couché avec une rousse ? » Son copain le regarde, sourit, et répond : « Tu parles, et je n'ai pas fermé l'œil de la nuit ! »

Les blagues sur le thème de la couleur de cheveux abondent, et les blondes peuvent en témoigner car elles en font souvent les frais. Cela dit, il existe également de nombreux stéréotypes négatifs concernant les rousses qui sont souvent considérées comme extrêmement passionnées voire sulfureuses. Cette passion peut se manifester sous différents aspects, par exemple un caractère colérique ou bien un appétit vorace pour tout ce qui touche au sexe. Toutefois, le stéréotype de la rousseur associée à une forte libido est en général réservé seulement aux femmes : quand on parle de nymphomane, on parle plutôt d'une femme, les hommes roux étant souvent stéréotypés comme des mauviettes, peu sympathiques et gauches.

Tout au long de l'histoire, on trouve des preuves de la discrimination envers les roux dans de nombreuses œuvres d'art, dans lesquelles une chevelure de feu est synonyme d'un caractère obstiné, avide, rebelle et maléfique. La fresque de Michel-Ange sur le plafond de la chapelle Sixtine à Rome représente la chute d'Adam et Ève. Dans cette fresque, à partir de l'instant où Ève accepte la pomme offerte par le serpent, ses cheveux deviennent rouge cuivre. Judas Iscariote, dont on dit qu'il a trahi le Christ, est souvent représenté sous les traits d'un roux, de même que l'ancienne prostituée Marie Madeleine. De nombreux artistes préraphaélites, qui prospérèrent dans la seconde moitié du XIXe siècle, représentèrent les très belles femmes avec des cheveux roux (Roach, 2005).

La couleur rouge est souvent associée à la chaleur, au feu, au soufre et au diable et même de nos jours, elle continue à symboliser des émotions fortes. Il suffit, pour s'en convaincre, de voir les vitrines quelques jours avant la Saint-Valentin : c'est un vrai raz-de-marée écarlate de produits vantant l'amour et le désir.

Le rouge est aussi la couleur de la colère et du conflit : on dit bien *voir rouge* et *agiter un chiffon rouge devant un taureau.* En réalité, les taureaux ne distinguent pas les couleurs, ce qui n'est pas le cas des humains sur lesquels le rouge a un effet physiologique, provoquant une notable augmentation de la pression sanguine.

Parlons maintenant de la physiologie des cheveux roux dont la cause est la présence de deux exemplaires d'un gène récessif sur le chromosome 16, ce qui est relativement rare.

En moyenne, il y a 1 à 2 % de roux dans la population, mais cette incidence est plus fréquente dans certaines régions : 4 % des Européens du Nord et 13 % des Écossais sont roux (BBC-Scotland, 2008).

Les criminels roux devraient être particulièrement vigilants afin de ne pas laisser de trace de leur ADN sur les lieux de leurs crimes.

Il serait même possible de dire si le propriétaire d'un ADN de roux a des cheveux roux, le teint pâle et des yeux verts ou noisette rien qu'en regardant les variantes génétiques connues sous le nom de SNPs (single nucleotide polymorphisms), le polymorphisme nucléotidique simple (Branicki *et al.,* 2007).

Il est certain que si cela se répandait, le taux de criminalité chez les roux chuterait brutalement car ils auraient trop peur d'être identifiés par la police. On assisterait alors à la naissance d'un nouveau stéréotype selon lequel les roux sont les gens les plus honnêtes qui soient !

Les traits distinctifs des roux ne se retrouvent pas seulement dans leurs gènes, ils ont aussi une hypersensibilité aux UV et un seuil de tolérance à la douleur différent. En cas d'intervention chirurgicale, il faudrait leur administrer 20 % de plus d'anesthésique qu'aux autres membres de la population (Liem *et al.*, 2005). Il semblerait par ailleurs que les femmes rousses soient plus sensibles à certains analgésiques (Mogil *et al.*, 2005).

Est-ce l'origine du cliché selon lequel les roux sont des êtres têtus et délicats ?

À ma connaissance, personne n'a encore fait de recherche pour vérifier le stéréotype « roux égale passion et tempérament de feu ». Je soupçonne que c'est un mythe qui a sans doute son origine dans l'assimilation de cette couleur avec le feu et la chaleur.

Les Romains ont probablement perpétué le mythe en décrivant les Pictes (un ancien peuple qui vivait en Écosse et dont les membres avaient en majorité les cheveux roux) comme des guerriers redoutables. Quelle que soit l'origine du stéréotype, les roux sont probablement davantage la cible de brimades et de vexations que les autres, ce qui pourrait justifier colère et emportements. Ce serait encore un exemple d'une *prédiction qui se réalise*, nous incitant à ignorer les comportements normaux et à nous focaliser seulement sur ceux qui confirment notre préjugé.

L'origine du cliché de la rousse nymphomane est moins évidente. Werner Habermehl, un sexologue allemand vivant à Hambourg, a analysé la vie sexuelle de centaines d'Allemandes à travers leur couleur de cheveux. Voici sa conclusion parue dans le *Daily Mail* en 2006 :

> Les femmes rousses ont une vie sexuelle nettement plus active que celle des femmes d'une autre couleur de cheveux, elles ont plus de partenaires et ont davantage de relations sexuelles que la moyenne. Les enquêtes montrent que les rousses ardentes sont à la hauteur de leur réputation.
>
> *Daily Mail*, 2006.

Werner Habermehl suggère également qu'étant donné le fameux stéréotype de la rousse sulfureuse, il n'est pas impossible que les femmes qui teignent leurs cheveux en roux utilisent ce moyen pour signaler qu'elles cherchent un partenaire. En tout cas, même si les femmes rousses ont une plus grande activité sexuelle que leurs consœurs, ce n'est pas forcément parce qu'elles se comportent différemment ; c'est peut-être tout simplement parce que les hommes croyant à la véracité du stéréotype, c'est-à-dire que les rousses ont un tempérament volcanique, ils se conduisent de telle sorte que la prédiction se réalise.

On a ainsi voulu tester la validité de deux fameux clichés, *la blonde stupide* et *la rousse volcanique.* Les hommes à qui on a montré des photos de blondes, de rousses et de brunes ont estimé que les blondes étaient les moins intelligentes et que les rousses avaient plus de tempérament que les brunes ou les blondes. Ce qui sous-entend que les hommes croient dans les deux stéréotypes (Weir et Fine-Davis, 1989).

Cela ne fait aucun doute que les roux sont victimes de nombreux préjugés. Ils sont souvent surnommés Poil de Carotte d'une manière méprisante – surtout au Royaume-Uni – et il arrive que leur couleur de cheveux soit un handicap dans leur vie professionnelle. D'après une enquête sur la couleur de cheveux des patrons de 500 compagnies du London Financial Times Stock Exchange (FTSE), si on veut aller le plus haut possible, il vaut mieux être brun (Takeda *et al.*, 2006).

Mais les roux et les rousses peuvent aussi faire une grande impression : pour chaque Judas Iscariote, il y a un Churchill et pour chaque Henri VIII, il y a une Élisabeth Ire.

Lire aussi : La blonde est stupide ; Les hommes préfèrent les blondes ; Se faire des cheveux blancs.

LES HOMMES SONT DES OBSÉDÉS DE PORNO

Dans la fameuse série télévisée américaine *Friends*, deux des personnages masculins tombent par hasard sur une chaîne de télé porno non cryptée et décident de ne plus jamais éteindre la télévision de peur de ne plus jamais retrouver le canal. C'est très amusant de les voir se donner un mal fou pour éviter que a) quelqu'un change de chaîne par inadvertance ou b) regarde par hasard ce qui se passe sur l'écran et découvre ainsi leur secret.

Dans ce film, les scénaristes s'en donnent à cœur joie et jouent à fond le cliché qui veut que les hommes soient obsédés de sexe. Les personnages féminins n'auraient pas du tout réagi de cette manière, elles auraient plus probablement eu le souffle coupé, auraient blêmi et se seraient déclarées choquées. (Les amateurs de *Friends* peuvent se reporter à l'épisode 17, saison 4, intitulé *Porno gratuit*.)

Mais est-ce que ce cliché se vérifie aussi dans la vraie vie ?

Je n'ai pas l'intention d'ouvrir le débat sur la pornographie, mais plutôt d'étudier le stéréotype qui prétend que les hommes trouvent cela plus excitant que les femmes. La pornographie est à la fois un gros business et une industrie florissante. On estime que 33 % des utilisateurs d'Internet au Royaume-Uni fréquentent des sites pornographiques (BBC, 2007).

En Suède, 69 % des hommes et 20 % des femmes utilisent la pornographie (Cooper *et al.*, 2003), mais peut-être est-ce là le reflet du fameux stéréotype sur les Suédois libérés ?

Aux États-Unis, l'industrie de la pornographie rapporte plus de 15 milliards de dollars par an, plus d'argent que tous les arts du spectacle réunis. Plus de 10 000 films pornographiques sont réalisés chaque année à Los Angeles, alors que Hollywood dans la banlieue de LA – qui est connue dans le monde entier pour son cinéma traditionnel – produit seulement 400 films par an (Marriott, 2003).

Une enquête menée auprès d'étudiants américains âgés de 18 à 26 ans révèle que 87 % des jeunes hommes (9 sur 10) et un tiers des filles, c'est-à-dire 31 %, font usage de la pornographie (Carroll *et al.*, 2008).

Il semble que si les femmes y viennent progressivement, c'est sans doute parce que la société devient de plus en plus libérale et permissive.

D'après Linda Williams, un professeur américain d'études de cinéma, en 1990, 40 % des femmes américaines ont déclaré regarder des vidéos pornographiques (Williams, 1990).

Il n'empêche que la plupart de ces films ont pour cible les mâles hétérosexuels et en dépit du fait qu'ils jugent le genre méprisable, les hommes reconnaissent que les films X les excitent.

Il y a des millions d'années, ni Internet ni les magazines pornographiques n'existaient et pourtant la psychologie de l'évolution peut nous permettre de comprendre pourquoi les hommes sont plus excités que les femmes par la pornographie.

D'abord, sur le plan de la théorie des stratégies sexuelles, on comprend aisément pourquoi un homme ressent de l'excitation rien qu'en voyant une femme nue. Dans le cas contraire, nos ancêtres n'auraient pas pu se reproduire, ni avoir de descendance et donc n'auraient pas pu transmettre leur patrimoine génétique.

Être excité par des images pornographiques serait simplement une application moderne de l'adaptation masculine.

Une seconde explication, liée à la première, suggère que les mâles sont biologiquement programmés pour répandre leur semence, et plus ils le font, mieux c'est. Il y a des milliers d'années, dans les anciennes sociétés qui vivaient de la chasse et de la pêche, les hommes qui avaient le plus de partenaires avaient également le plus de chances de transmettre leurs gènes. Dans le monde animal, les mâles, hommes inclus, manifestent de l'excitation en voyant les autres s'accoupler. Ceux qui sont assez forts pour se débarrasser de leur rival et prendre sa place – ou bien assez sournois pour attendre que la voie soit libre afin de profiter du fait que la femelle est bien disposée – auraient ainsi un avantage certain.

Les mâles des crevettes d'eau douce, qui ne sont ni particulièrement costauds ni particulièrement dominants, emploie cette méthode effrontée (Ra'Anan et Sagi, 1985).

Il est possible que l'excitation ressentie par les hommes à la vue de couples en train de faire l'amour remonte à l'époque ancienne où cela faisait partie de la stratégie humaine de reproduction.

Il y a une troisième explication qui se place plus sur le terrain de la psychanalyse que sur celui de l'évolution. L'intérêt des hommes pour la pornographie s'expliquerait par le fait que cela renforce leur suprématie masculine. Avoir sous les yeux la preuve de la puissance phallique, serait rassurant et apaiserait leur peur de l'impuissance. D'un point de vue féminin, la pornographie est beaucoup moins attirante. Plusieurs siècles d'évolution ont encouragé les femmes à investir davantage dans leurs petits. Par conséquent, leur stratégie sexuelle implique habituellement d'attirer un partenaire doté de ressources suffisantes et désireux de s'engager dans une relation à long terme (Buss, 1998).

Les femmes ont une opinion moins positive que les hommes sur la pornographie, son utilisation et l'excitation qu'elle procure (Greenberg *et al.*, 1993 ; Malamuth, 1996).

Une conclusion qui colle bien avec la théorie selon laquelle la pornographie, concentrée sur l'activité sexuelle sans implication affective, ne correspond pas à la stratégie sexuelle féminine.

Bien que peu d'éléments viennent l'étayer, une autre théorie suggère que les hommes sont plus excités par ce qu'ils *voient* alors que les femmes sont plus réceptives à ce qu'elle *entendent* (de la musique douce ou un accent français, par exemple), à une stimulation mentale et/ou aux sentiments amoureux.

Mais cette hypothèse n'est pas corroborée par la recherche : les femmes ont l'air autant excitées que les hommes par un stimulus visuel explicite ; toutefois, l'excitation physique ressentie à la vue d'images pornographiques peut entrer en conflit avec le fait qu'elles estiment que c'est dégradant pour la femme, réduite à un statut d'objet (Kukkonen, 2007).

Résumons : les femmes ne sont pas autant attirées par la pornographie que les hommes et à cela il y aurait plusieurs explications, la plupart ayant trait à l'évolution.

Premièrement, la psychologie évolutionniste peut tout expliquer mais ne peut rien prouver parce qu'on dispose de très peu de données objectives. Voilà pourquoi la plupart des grandes idées développées ci-dessus sont controversées. Il n'existe ni registre ni rapport fossile recensant la complexité des comportements humains tels que l'attraction sexuelle, le désir et l'excitation. La psychologie de l'évolution est fondée sur la déduction, et de ce fait les hypothèses émises peuvent tout à fait être erronées. En outre, certains suggèrent que les sociétés dominées par les hommes adhèrent avec un peu trop d'enthousiasme et d'empressement à des théories qui apportent une justification scientifique à l'inclination sexuelle des hommes. Dans de telles sociétés, on juge différemment l'attirance pour le sexe selon qu'elle émane d'un homme et d'une femme. Ainsi, un homme qui change sans arrêt de partenaire est un tombeur que l'on regarde avec admiration ; une femme qui change souvent de partenaire est une traînée que l'on juge avec mépris.

La deuxième incertitude sur la validité de ces résultats tient à la manière dont les données sont collectées. Les sondages se font par auto-évaluation, et les femmes seraient moins enclines que les hommes à faire état de leurs véritables désirs.

La psychologue américaine Terri Fisher, de l'université de l'Ohio, a mené une enquête auprès d'un échantillon d'hommes et de femmes auxquels elle a demandé s'ils se masturbaient et s'ils regardaient des photos pornographiques. Chaque réponse positive était créditée d'un point. Les hommes ont obtenu une moyenne de 2,32 et les femmes de 0,89. La psychologue a ensuite changé de méthode et, après avoir garanti l'anonymat aux personnes participant au test, elle a reposé les mêmes questions. Les résultats des hommes n'ont pas varié mais ceux des femmes sont passés à 2,04. Ce qui suggère que les hommes sont moins inquiets que les femmes à l'idée de révéler les détails de leur activité sexuelle.

Afin de mesurer le niveau réel d'excitation sexuelle, Tuuli Kukkonen du McGill University Health Center a préféré utiliser des caméras thermiques braquées sur les organes sexuels des hommes et des femmes qui participaient à son enquête. On leur a ensuite projeté des clips de différents films allant de la pornographie (état expérimental) à la comédie (*Mr Bean*) en passant par un film sur le tourisme au Canada (état de contrôle).

La plupart des précédentes études de cette sorte avaient nécessité la pose d'instruments de mesure sur les participants impliquant un contact génital, et on n'avait pas manqué de leur reprocher le fait que ce contact avait probablement influencé les résultats. La méthode de Kukkonen, bien qu'elle aussi ait pu susciter des inquiétudes méthodologiques, ne présentait pas ce genre de problèmes. Pendant que les participants à l'expérience visionnaient les films, Kukkonen était assis dans une pièce voisine derrière son ordinateur pour enregistrer les variations de la température des corps, à un centième de degré près.

On commença par la projection d'un film X. Dès les premières 30 secondes, les femmes comme les hommes manifestèrent de l'excitation ; les hommes atteignirent un niveau maximal d'excitation en 664,4 secondes, les femmes en

743 secondes, une différence négligeable sur le plan statistique. Dans cette enquête, les femmes les hommes se sont montrés autant excités par les images pornographiques et à la même vitesse.

Concernant les résultats après diffusion de *Mr Bean* et du film sur le tourisme au Canda, on ne dispose pas de données significatives...

Les hommes semblent être plus consommateurs de pornographie que les femmes et il y a plusieurs raisons possibles à cela. En particulier, c'est peut-être dû au fait que les consommateurs masculins constituent la cible essentielle de l'industrie pornographique.

Il me semble que la question essentielle est de savoir ce que chacun de nous décide de faire de son désir naturel d'être émoustillé.

À la fin de l'épisode de *Friends* que j'évoquais au début de ce chapitre, Chandler, à force de regarder des films pornographiques sur la fameuse chaîne *miraculeusement* décryptée, se mettait à fantasmer sur chaque situation vécue dans la journée. Cela devenait tellement intenable pour lui qu'il finissait par dire à Joey qu'ils devaient absolument arrêter de regarder des films X.

Lire aussi : Le vieux cochon ; Recherche jolie femme – Recherche homme bonne situation ; Ils ne pensent qu'au sexe ; Le tombeur et la traînée.

Les gays sont volages

Imaginez un instant que vous êtes Dafydd, dans *Little Britain*, la comédie télévisée de la BBC. Comme vous êtes le seul homosexuel de tout Llanddewi-Brefi, vous croisez rarement un autre gay. Vous avez alors des mœurs certainement moins légères que les autres hommes du village. *Little Britain* est-elle le reflet du reste du Royaume-Uni ? Tous les homosexuels sont-ils à l'image de Dafydd ? Bien sûr que non. C'est juste une émission télévisée et l'on fait souvent appel aux stéréotypes pour déclencher le rire.

Le comportement sexuel des homosexuels hommes et femmes est un domaine extrêmement controversé. L'un des problèmes est commun aux autres études concernant le comportement sexuel humain : la plupart sont basées sur ce que les gens racontent sur eux-mêmes et ils ne disent pas toujours la vérité. L'autre difficulté est qu'un nombre étonnant de recherches sont soupçonnées d'être influencées (pro-gay et anti-gay) et ceux qui sont impliqués dans le débat sont souvent critiqués pour leurs prises de position religieuses ou politiques. Ce n'est pas le propos de ce livre de soutenir quelque thèse que ce soit. Je mettrai plutôt en avant deux arguments contrastés relatifs à ce cliché, ensuite vous déciderez vous-même s'ils sonnent juste ou non.

La première hypothèse envisage que les hommes gays seraient plus volages que les hommes hétérosexuels et qu'il y aurait plusieurs raisons à cela.

Chez les humains, l'orientation sexuelle aurait une influence sur les préférences et le comportement amoureux (Symons, 1979).

Généralement, la recherche corrobore le stéréotype selon lequel les hommes recherchent la beauté chez leur partenaire. Ils ont aussi tendance à être attirés par les rapports sexuels occasionnels. De telles préférences pourraient être encore plus affirmées chez les homosexuels, hommes et femmes, par rapport aux hétérosexuels hommes et femmes.

Dans des relations hétérosexuelles, chaque partenaire doit faire des compromis pour s'adapter au modèle sexuel de l'autre. Dans les relations homosexuelles, les deux partenaires donnent libre cours à leur désir (Symons, 1979).

Une étude prouverait que les hommes gays seraient plus volages et s'autoriseraient plus que les hommes hétérosexuels à avoir de nombreux partenaires (Bailey *et al.,* 1994).

Les hommes hétérosexuels montrent autant d'intérêt à l'égard des relations à court terme mais sont moins tentés de s'y engager. Ni les gays ni les hommes hétérosexuels ne sont intéressés par le statut social ou les revenus d'un(e) partenaire potentiel(le) ; en revanche, ils sont très attirés par la séduction physique de leur partenaire et sont sensibles aux stimuli sexuels que celui-ci ou celle-ci dégage. Il semble donc que, gays ou hétérosexuels, les hommes ont des attitudes similaires vis-à-vis du sexe, mais le comportement des hétérosexuels peut être réfréné par les attentes de leurs partenaires féminines. Cela suggère, au moins en théorie, que les hommes gays sont plus volages que les hommes hétérosexuels.

La seconde hypothèse envisage que les hommes hétérosexuels sont plus volages que les gays. Des données sont disponibles en ce sens, dans une étude impliquant à la fois des hommes gays et des hommes bisexuels : 24 % ont déclaré avoir eu un partenaire masculin dans leur vie, 45 % en ont eu entre deux et quatre, 13 % en ont eu entre 5 et 9 et 18 % en ont eu 10 ou plus.

Ces statistiques aboutissent à une moyenne de 6 partenaires sexuels par homme (Fay, 1989).

Dans une étude similaire menée cette fois auprès d'hommes hétérosexuels, on obtient une moyenne de 7,3 partenaires. Cela suggère que les hommes gays ont tendance à avoir moins de partenaires sexuels que les hommes hétérosexuels (Billy *et al.*, 1993).

Deux autres études vont dans le même sens.

La première, menée sur un échantillon de 2 664 homosexuels participants, montre que la moyenne du nombre de partenaires sexuels dans les cinq dernières années, s'établit à 6,5 (Binson *et al.*, 1995).

Parallèlement, selon la deuxième étude réalisée sur un an (Dolcini *et al.*, 1993), il apparaît que les hétérosexuels ont moins tendance à rester célibataires que les homosexuels ou les bisexuels. Le tableau ci-dessous compare les résultats de ces deux recherches :

Orientation sexuelle	Pas de partenaire	Un partenaire	Deux partenaires ou plus	Sources des données
Gay	24 %	41 %	35 %	Binson *et al.*, 1995
Hétérosexuel	8 %	80 %	12 %	Dolcini *et al.*, 1993

Une troisième étude qui fait référence en la matière car elle est considérée comme étant à la fois complète, globale et méthodologique, montre que le nombre moyen de partenaires pour les hétérosexuels est de 5 alors qu'il est de 6 pour les homosexuels (Laumann *et al.*, 1994). Toutefois, les chercheurs ont suggéré que ce résultat avait pu être influencé par le fait que les hommes gays étant en nombre inférieur, avaient peut-être voulu compenser cette différence en majorant leurs réponses, c'est pourquoi ils conclurent que la différence entre le nombre de partenaires n'était pas aussi significative que cela :

> Le fait que le nombre moyen de partenaires soit plus élevé chez les hommes homosexuels, correspond au stéréotype des homosexuels mâles répandu dans notre société. Quoique des preuves dans nos données aillent dans le même sens, la différence semble minime étant donné le petit échantillon d'hommes homosexuels.
>
> Laumann *et al.*, 1994.

Une autre enquête, menée par la General Social Survey (GSS), a été publiée par l'université de Chicago qui est considérée comme l'une des meilleures sources d'information sur les grandes orientations de la société de 1972 à nos jours. Les statistiques pour la période de 1972 à 2002 suggèrent que les hommes gays et hétérosexuels ont à peu près le même nombre de partenaires. La seule différence, c'est qu'un petit nombre d'homosexuels, 10 %, font état d'un niveau élevé du nombre de partenaires (entre 20 et 100 ou plus) sur une période de cinq ans. La conclusion que l'on pourrait tirer de ces données, c'est que près de 90 % des hommes homosexuels ont autant de partenaires que les hommes hétérosexuels célibataires (Fisher, 2006).

La vérité, c'est que nous ne disposons pas d'informations vraiment dignes de foi sur le comportement sexuel des gens, et même si nous en avions, où cela nous mènerait-il ? Et s'il était vrai que l'homme gay moyen était volage, cela ne nous permettrait pas d'en conclure qu'être gay implique nécessairement qu'on est infidèle ou que n'importe quel homme gay est volage. Alors qu'une petite proportion d'homosexuels masculins peut être considérée comme plus instable amoureusement que les autres, bien des hommes hétérosexuels pourraient eux aussi être catalogués de la même façon, et nous ne pouvons pas stéréotyper les uns et ignorer les autres.

Puisque la grande majorité des homosexuels semble avoir moins de partenaires que la moyenne des hétérosexuels, il est à la fois faux et injuste de dire que tous les homosexuels sont plus volages que tous les hétérosexuels.

Lire aussi : Le vieux cochon ; Recherche jolie femme – Recherche homme bonne situation ; Ils ne pensent qu'au sexe ; Le tombeur et la traînée.

Le gardien de prison est sadique

Le cliché veut que le bourreau [...] soit animé par un sadisme pervers. Mais plus généralement, les psychologues estiment que les bourreaux ne sont souvent pas plus sadiques que ceux qui, en certaines circonstances, sombrent dans une routine de l'horreur familière dans laquelle ils blessent et mutilent d'autres êtres humains, tout en conservant leurs distances avec la souffrance, les hurlements et l'agonie de leurs victimes.

Goleman, 1985.

Il est assez confortable de penser que ceux qui privent les gens de liberté sont des sadiques. Cette opinion nous permet de nous rassurer et de nous dire qu'ils font partie d'une race à part, différente de ceux que nous croisons au quotidien. Lorsque des prisonniers sont maltraités, comme cela arrive de nos jours à travers le monde, cela nous arrange bien d'en rejeter la responsabilité sur une poignée de brebis galeuses malfaisantes. Nous nous rassurons nous-mêmes en nous disant que tant de noirceur est rare et ne se produit que lorsqu'une petite minorité se retrouve dans certaines situations – et peut-être que les gardiens de prison choisissent leur métier parce qu'ils ont au fond des tendances sadiques. Mais l'autre option possible que nous devons considérer est celle-ci : et si nous avions tous en nous un côté sombre qui nous rendrait capables d'atrocités ?

En 1963, le psychologue américain Stanley Milgram (1933-1984) a mené une expérience pour étudier le concept de l'obéissance à l'autorité. Il a invité chaque participant(e) à tour de rôle dans son laboratoire sous le prétexte qu'il ou elle allait prendre part à une recherche sur la mémoire. Un complice de Milgram faisait semblait d'être l'apprenti et était sanglé sur une chaise électrique dans une pièce adjacente. On disait au participant candide que si l'apprenti répondait mal aux questions qui allaient lui être posées, il fallait administrer à celui-ci des décharges électriques. Celles-ci étaient d'une incroyable puissance, plus de 450 volts, et provoquaient des hurlements d'agonie de la part de l'apprenti qui implorait qu'on le détache, tressautait horriblement, et finalement, à 315 volts, s'évanouissait.

Bien entendu, les décharges étaient aussi fausses que la douleur de l'apprenti, qui je le rappelle était un complice de Milgram ; seul le participant ignorait qu'il s'agissait d'une simulation. Les chercheurs s'attendaient à ce que seuls quelques individus – ceux qui auraient en eux des tendances sadiques – obéissent aux ordres, mais à leur plus grande surprise, ils découvrirent qu'ils se trompaient : 65 % des participants obéirent aux ordres et administrèrent les décharges électriques au niveau maximal de 450 volts, ce qui, si cela avait été vrai, aurait été fatal. Et ils continuèrent même lorsque l'apprenti ne répondait plus. Ce fut la première étude qui suggéra que parfois les gens ne se comportent pas selon leur nature ou leur personnalité, mais réagissent aux situations dans lesquelles ils se trouvent (Milgram, 1963).

Huit ans plus tard, le psychologue américain Philip Zimbardo et ses confrères (Haney *et al.*, 1973) étudièrent les effets de l'enfermement sur les prisonniers et leurs gardiens. Ils créèrent une prison factice dans les sous-sols du département de psychologie de l'université de Stanford. Ils recrutèrent 24 hommes volontaires et stables sur le plan émotionnel ; la moitié fut placée au hasard dans l'équipe des gardes, les autres devinrent des prisonniers. À peine arrivés à la prison, ces derniers devaient se déshabiller et on leur fixait une chaîne autour de la cheville ; on leur délivrait également une blouse portant devant et dans le dos un numéro : à partir de cet instant, ils n'étaient plus appelés que par ce numéro. Les gardes, quant à eux, portaient un uniforme kaki de style militaire, des lunettes miroir dissimulant les yeux, ils étaient équipés de matraques, de sifflets, de menottes et de clés. Les gardes exerçaient un contrôle quasi total sur les prisonniers qui étaient enfermés dans leurs cellules 24 heures sur 24, sauf pour les repas, les toilettes, l'appel et le travail.

Bien que chacun des participants eût parfaitement conscience que ce n'était qu'une simulation, les gardes créèrent très rapidement une atmosphère de brutalité. Plus l'agressivité des gardes augmentait, plus les prisonniers se sentaient désespérés et sans défense. Les gardes se comportaient d'une façon autoritaire, abusive et sadique, et nombreux étaient ceux qui semblaient se divertir de leurs nouveaux pouvoirs, et prenaient du plaisir à chercher comment humilier davantage leurs victimes. Les mauvais traitements commis par certains d'entre eux étaient tellement graves que des prisonniers commencèrent à montrer des signes de stress intense, d'anxiété et de dépression. Prévue pour durer deux semaines, l'expérience dut être interrompue au bout de cinq jours seulement car la situation était devenue incontrôlable.

Zimbardo en conclut que la situation avait transformé en êtres sadiques des participants sélectionnés au départ pour leur bonne santé mentale et leur stabilité psychologique.

Quelque temps après, le chercheur dressa la liste des dix conditions qui peuvent transformer rapidement un individu ordinaire en un être malfaisant (Zimbardo, 2004) :

- Créer une idéologie dans laquelle la fin justifie les moyens.

- Faire en sorte que les participants acceptent de respecter le règlement.

- Donner aux participants des rôles précis avec des valeurs sociales clairement définies.

- S'assurer que les règles comportementales attendues de la part des participants soient vagues.

- Parler des actes et des acteurs d'une façon négative (on parle d'*ennemis* plutôt que de personnes).

- S'assurer que les participants agissent dans l'anonymat pour qu'ils ne se sentent pas entièrement responsables de leurs actes (par exemple, bander les yeux des prisonniers ou faire d'un seul prisonnier la cible de tous les gardes).

- Commencer par de faibles demandes et augmenter peu à peu la pression en exigeant progressivement toujours plus.

- Au début, le leader doit se montrer compatissant.

- Autoriser l'expression d'opinions différentes à condition que la soumission continue.

• Faire en sorte que les participants ne puissent pas sortir de la situation.

Adapté de Zimbardo, 2004.

Beaucoup de ces règles sont appliquées dans de nombreuses prisons à travers le monde, et plus elles sont fermement implantées, plus grand est le risque de voir se développer des actes de maltraitance.

Voici comment Zimbardo résume ce qu'il a appris de ces recherches :

> On peut engager pratiquement n'importe qui pour accomplir des actes malfaisants destinés à priver des êtres humains de leur dignité, de leur humanité et de leur vie.
>
> Zimbardo, 2004.

Certains de ses confrères psychologues à travers le monde ont estimé que dans son interprétation, Zimbardo accordait trop d'importance au rôle de la situation. Il est possible que le comportement des participants ait été influencé par l'idée préconçue qu'ils avaient de la façon dont *devaient* agir un gardien de prison et un prisonnier : après tout, ils savaient tous qu'ils jouaient un rôle. Zimbardo répondit que les participants croyaient à la réalité de la situation et que cela aurait été pire dans une vraie prison avec de véritables détenus.

La conclusion déprimante est que les gardiens de prison ne sont peut-être pas plus sadiques que la majorité d'entre nous, et que dans certaines circonstances, nous sommes tous capables de commettre des actes de brutalité. Quoi qu'il en soit, tous les gardiens de Zimbardo n'agissaient pas avec le même sadisme, il y avait des différences entre eux qui tenaient à leur personnalité. Une théorie du comportement humain suggère que la façon dont les gens se comporte n'est pas uniquement déterminée par les exigences de la situation dans laquelle ils se trouvent mais par des interactions complexes entre ces différentes exigences, les facettes de leur personnalité individuelle et le contexte socioculturel dans lequel ils ont évolué.

L'histoire a montré que lorsque les individus sont placés dans des situations qui leur demandent de se comporter d'une façon agressive et brutale, ils sont suffisamment forts pour résister. Et pour encourager ceux qui les entourent à suivre leur exemple.

> Nous ne sommes pas des marionnettes manipulables et être conscient des risques qu'il y a à réagir en fonction de la situation dans laquelle on est et donc de perdre son libre arbitre, est déjà un grand pas pour annihiler les effets insidieux. Cette prise de conscience doit nous permettre de prendre nos responsabilités. Nous devons tous rester conscients de notre capacité potentielle à agir avec sadisme, comme le tyran du bac à sable, ou plus tard au travail, même si nous ne sommes pas des gardiens de prison. Cela ne veut pas dire que quelles que soient les circonstances, la maltraitance peut être évitée : lorsque la torture et la violence ne sont plus le fait de quelques brebis galeuses mais sont devenues une institution, nous courons tous le risque d'être contaminés.
>
> Zimbardo, 2008.

Le schizophrène a une double personnalité

L'une des idées sans doute les plus fausses circulant sur la schizophrénie est que ceux qui en sont atteints ont une personnalité multiple.

Aux États-Unis, un sondage réalisé pour l'Organisation nationale pour le handicap (la National Organization on Disability) révèle que 66 % des personnes interrogées pensent qu'une double personnalité est l'une des caractéristiques de la maladie mentale (ABC Science Online, 2004).

Ce n'est pas du tout le cas – et un schizophrène n'est pas une personne partagée en deux. La première appellation de la schizophrénie était la démence précoce, ce qui signifiait que la démence avait commencé prématurément.

Emil Kraepelin (1856-1926), considéré comme l'un des fondateurs de la psychiatrie moderne, utilisait ce nom pour décrire une maladie dégénérative qui diminuait les fonctions intellectuelles. Le terme schizophrénie fut inventé plus tard, en 1911, par le psychiatre et psychologue suisse Eugen Bleuler (1857-1939). Ce mot vient du grec, il signifie *esprit partagé en deux* plutôt que personnalité partagée en deux. Eugen Bleuler voulait ainsi souligner le fait que les gens atteints de schizophrénie sont coupés de la réalité au point qu'ils ont beaucoup de difficultés à faire la distinction entre le réel et l'irréel. Une personne affectée par cette maladie aura une seule personnalité mais il y aura dans son esprit, simultanément, deux fils de pensée, l'un pouvant entrer en contact avec l'autre en utilisant un langage grossier ou de mauvaises pensées.

Il arrive parfois que l'un de ces deux *esprits* juge l'autre, même négativement, ou juge ce que l'autre est en train de faire. On estime à 1 % le nombre de personnes qui développeront une schizophrénie à un moment de leur vie (American Psychiatric Association, 1994). Actuellement, environ 500 000 personnes sont atteintes de schizophrénie au Royaume-Uni. On estime qu'il existe trois types de schizophrénie. Le premier qui concerne la majorité des cas est la schizophrénie paranoïaque. Les gens qui souffrent de cette maladie croient souvent qu'ils sont persécutés ou bien qu'ils évoluent sous le regard d'autres personnes, et notamment de leurs voisins ou de la police. Ils ont des tendances à l'agitation, la colère et à beaucoup parler. Le second type est la schizophrénie catatonique, qui contraint celui qui en souffre à rester comme tétanisé pendant des heures. Les gens atteints de cette forme de maladie se montrent le plus souvent extrêmement négatifs et font en général le contraire de ce qu'on leur demande. Il y a enfin la schizophrénie désorganisée, ou hebephrenic schizophrénie, caractérisée par une humeur inadaptée et un discours désorganisé et incohérent difficile à comprendre.

Les symptômes de la schizophrénie peuvent être classés en deux catégories : formels et informels.

Les symptômes formels sont des adjonctions bizarres à un comportement d'habitude normal, comme des délires, de la paranoïa et des hallucinations, la plus courante étant le fait d'entendre des voix. C'est le cas pour la plupart des personnes souffrant des différentes formes de schizophrénie. Les malades qui présentent des symptômes informels n'ont pas le type de comportements quotidiens qui pour nous vont de soi ; en conséquence, ils sont sans réaction, inactifs, parlent peu et utilisent un vocabulaire limité, ont perdu leur joie de vivre et sont indifférents à leur apparence et à leur sécurité.

Le mythe de la double personnalité n'est pas la seule idée fausse sur la schizophrénie.

Il y a d'abord cette croyance que la maladie est liée à une mauvaise éducation des parents. Les chercheurs étant incapables d'apporter une explication biologique évidente à la maladie, ont mis le projecteur sur les relations familiales qui auraient été source de conflit et donc à l'origine des troubles. Le terme *mère schizophrène* fut inventé pour décrire un parent froid, dominateur et créateur de conflits (Gross et Rolls, 2006).

De nos jours, on penche pour une cause biologique opérant en conjonction avec certains facteurs environnementaux déclenchants, que pour l'instant on cerne mal.

Une autre idée fausse est que les schizophrènes sont des gens instables et potentiellement violents. Cette théorie n'a aucun fondement : les statistiques montrent que les schizophrènes ne commettent pas plus de crimes violents que le reste de la population, alors qu'ils ont en revanche plus de risques d'être eux-mêmes victimes d'un crime.

Le fait qu'il circule autant d'idées fausses sur la schizophrénie tient sans doute à la façon extrêmement négative dont cette maladie est souvent présentée par les médias.

Hollywood confond la schizophrénie avec le dédoublement de la personnalité ou avec les troubles de l'identité dissociée, que l'on connaît mieux aujourd'hui.

Ni Norman Bates, l'égorgeur de *Psychose*, le film d'Alfred Hitchcock (1960), ni Jim Carey dans *Fous d'Irène* de Bob et Peter Farrelly (2000) ne montrent les vrais symptômes de la schizophrénie. Au point que de nombreux professionnels de la santé mentale, outrés par le portrait inexact dressé dans *Fous d'Irène*, ont bruyamment manifesté leur mécontentement (Baron-Faust, 2000).

Quant à Ron Howard qui reçut un Oscar pour *Un homme d'exception* (2001) avec Russel Crowe, il remporta les louanges de la critique et de toute la communauté médicale. Dans cette biographie du génial mathématicien John Nash, les effets des symptômes informels qu'il subit sont parfaitement décrits et d'une façon très humaine (Smith et Cooper, 2006).

Quelques universitaires comme Paul Hammersley de l'université de Manchester, croient que le terme de schizophrénie devrait être supprimé, étant donné tous les clichés sans fondement qui sont associés à cette maladie mentale (BBC News, 2006).

La Campagne pour l'abolition du terme schizophrénie (CASL) préconise l'usage d'un nom nouveau comme « dérèglement de la dopamine » ou encore « maladie neurobiologique », abandonnant ainsi les stéréotypes incorrects et les connotations négatives associés à la terminologie habituelle. Mais malgré la pression des partisans du changement, le terme de schizophrénie continue d'être employé et n'est pas près de changer. Le nouveau terme devrait couvrir une telle étendue de symptômes que les professionnels de la santé ne sont toujours pas arrivés à se mettre d'accord pour une alternative acceptable.

Je suis tout à fait partisan du choix d'une nouvelle dénomination pour baptiser la schizophrénie. Toutefois, cette stratégie risque de ne pas avoir les effets recherchés. C'est ce qui se vérifia lors d'une expérience menée à Hong Kong. Elle avait pour but de mesurer l'effet qu'aurait un nouveau nom sur la perception qu'ont des collégiens adolescents de la schizophrénie, et malheureusement cette modification n'eut aucun effet (Chung et Chan, 2004).

L'aspect positif de cette enquête, c'est que les jeunes interrogés n'avaient pas une image du mot schizophrénie aussi négative que ce à quoi les auteurs s'attendaient. Cela montre peut-être que certaines idées fausses sur la maladie n'ont pas été transmises à la jeune génération. Hollywood, pour sa part, devrait être plus vigilant sur les portraits qu'il fait de la maladie mentale, car un film à grand succès aura toujours plus d'impact que plusieurs tomes d'ouvrages savants sur le sujet quels que soient le sérieux des chercheurs et la qualité de leurs travaux.

Lire aussi : Le génie fou ; Les fous sont dangereux.

Ils ne pensent qu'au sexe

Les hommes sont tellement obsédés par le sexe qu'ils y pensent environ toutes les sept secondes.

Bien que personne ne sache d'où sort cette statistique, c'est une idée si répandue que beaucoup sont persuadés qu'elle est vraie. Pour ma part, je me suis souvent demandé pourquoi je n'y pense que toutes les huit ou neuf secondes… C'est pourquoi je fus très soulagé d'apprendre que la recherche scientifique ne confirmait absolument pas cette rumeur.

En réalité, selon une étude menée par le Kinsey Institute de l'université de l'Indiana, à peine un peu plus de 50 % des hommes pensent au sexe au moins une fois par jour, alors que 43 % déclarent n'y penser que quelques fois dans la semaine et 4 % seulement une fois par mois.

Bien sûr, il y a des hommes qui y pensent plusieurs fois par jour, mais aller jusqu'à affirmer qu'ils le font à une fréquence de sept secondes, me paraît très exagéré.

Il y a des différences claires sur ce sujet entre les femmes et les hommes (Leitenberg et Henning, 1995).

Sur un échantillon de 103 hommes et de 130 femmes à qui l'on a demandé d'estimer sur une période donnée, le temps où ils pensaient au sexe (Cameron, 1967), il est apparu que 55 % des hommes et 42 % des femmes pensaient au sexe 10 % de ce temps.

Quelques années plus tard (Cameron et Biber, 1973), une grande enquête fut menée sur 4 400 individus d'âges différents afin de mesurer la fréquence des pensées relatives au sexe. Afin d'établir si les participants avaient pensé au sexe dans les cinq minutes précédentes, on leur a demandé : « Avez-vous pensé au sexe ou vos pensées avaient-elles une coloration sexuelle, ne serait-ce qu'un instant, dans les cinq dernières minutes ? » (Au passage, on peut se demander à quelle couleur les enquêteurs faisaient allusion. Mauve, bleue ?)

Dans la tranche d'âge allant de 14 à 25 ans, 52 % des hommes et 39 % des femmes répondirent par l'affirmative.

Dans la tranche d'âge allant de 26 à 55 ans, les résultats étaient de 26 % pour les hommes et de 14 % pour les femmes.

Dans une autre enquête sur la sexualité menée en 1994 et impliquant 3 342 hommes et femmes, on enregistra une différence marquée entre les genres : 54 % des hommes déclarèrent avoir des pensées sexuelles au moins une fois par jour contre 19 % des femmes (Laumann *et al.*, 1994).

L'ouvrage *Le Cerveau des femmes*, de Louann Brizendine, neuropsychiatre de l'université de Californie, a fait la Une de la presse parce que son auteur prétendait que le sexe occupait deux fois plus de place dans le cerveau des hommes que dans celui des femmes. Ainsi, 85 % des hommes âgés de 20 à 30 ans penseraient au sexe toutes les 52 secondes, contre une fois par jour chez les femmes (Brizendine, 2006).

Mark Liberman (2006) qui étudia de près les données de Brizendine, conclut que la meilleure preuve était rapportée par Jones et Barlow (1990). Ces deux chercheurs avaient demandé à une centaine d'étudiants, filles et garçons, de détailler pendant une semaine, dans un journal intime, leurs fantasmes sexuels et leurs pulsions sexuelles.

Les jeunes hommes hétérosexuels mentionnèrent plus de pulsions sexuelles que les femmes (4,5 par jour pour les hommes contre 2 par jour pour les femmes), alors que la fréquence des fantasmes sexuels était identique pour les femmes et les hommes (2,5 par jour).

Selon les calculs de Liberman, les hommes avaient au total sept pulsions sexuelles par jour (une toutes les 12 642 secondes) et les femmes une toutes les 19 200 secondes.

Sur la base de ces chiffres, il estima que les recherches de Brizendine montrent les hommes 237 fois plus excités sexuellement que ce qu'il ressort des données scientifiques.

En conclusion, la somme impressionnante de recherches et de statistiques consacrées au nombre de fois où les hommes et les femmes pensent au sexe, suggère que les hommes y pensent un peu plus que les femmes. Toutefois, ils n'y pensent pas toutes les 7 secondes, et cela n'est en aucun cas une obsession.

Même les fameuses 52 secondes semblent très exagérées.

Mais cela fait vendre des livres.

Tiens, il y a une idée à creuser...

Lire aussi : Les hommes sont des obsédés de porno ; Les gays sont volages.

Belle et mince

Aujourd'hui, tous les mannequins semblent faire une taille 0, selon le code des tailles américaines, ce qui est l'équivalent d'une taille 36 en France. Pour les femmes occidentales, c'est souvent la taille de référence car c'est l'idée qu'elles ont de la femme idéale.

Cette obsession de la minceur extrême est inquiétante, en particulier pour les jeunes filles, qui voulant ressembler aux top models risquent d'être confrontées à de graves désordres alimentaires.

Qu'en pense l'homme de la rue ?

Trouve-t-il les femmes très minces particulièrement attirantes ou bien est-ce un mythe populaire ?

Le ratio taille-poitrine est une mesure reconnue de la séduction féminine.

On a demandé à des participants de classer par ordre de séduction 12 dessins représentant 4 différents ratios taille-poitrine à trois paliers de poids : maigre, normal, en surpoids (Singh, 1993). Les participants, âgés de 18 à 60 ans, étaient partagés en deux groupes, les hommes d'un côté et les femmes de l'autre. Pour les femmes, le modèle le plus séduisant, en bonne santé et le plus apte à la reproduction était la femme d'un poids normal avec un ratio taille-poitrine de 0,7. Des données identiques furent trouvées dans des études ultérieures, utilisant des photos au lieu de dessins (Singh, 1994).

Après avoir analysé les ratios taille-poitrine des modèles photographiés dans les pages centrales de *Playboy* et des gagnantes du concours Miss Amérique, l'auteur de cette étude proposa que le ratio de 0,7 soit déclaré ratio idéal.

Quelques années plus tard, une autre étude établit le ratio moyen autour de 0,676 (Freese et Meland, 2002).

Ce lien existant entre la séduction et ce ratio taille-poitrine trouve probablement son origine dans l'association entre les courbes, les formes et la fertilité.

Une femme avec un ratio proche de la mesure idéale est considérée comme ayant une silhouette de rêve : une poitrine bien galbée et des hanches larges l'emportent haut la main contre une femme à la poitrine creuse.

Un ratio au-dessus ou en dessous du ratio idéal laisserait suspecter une capacité inférieure de reproduction et un risque accru de maladie.

Un ratio trop élevé peut aussi être le signe d'une grossesse. Le soupirant éventuel est ainsi averti que, pour le moment en tout cas, la femme ne peut pas porter sa descendance.

On sait que le ratio taille-poitrine féminin est directement lié aux niveaux d'œstrogènes et de testostérone dans le corps de la femme : quand les œstrogènes diminuent et que la testostérone augmente, le ratio taille-poitrine augmente de la même façon (Singh, 1993).

Les femmes qui ont un ratio plus bas (d'où un taux de testostérone faible et un taux d'œstrogènes élevé) ont tendance à tomber enceintes plus facilement, à condition que le ratio ne tombe pas trop bas. Un ratio important (d'où un taux de testostérone élevé et un taux plus faible d'œstrogènes) peut être associé à des problèmes de santé et de fertilité (Symons, 1995), des problèmes de peau et notamment de l'acné (Pearl *et al.*, 1998) et une pilosité développée.

Tous ces traits distinctifs, généralement considérés comme non séduisants chez une femme, ne sont pas de bon augure pour le succès de la reproduction. C'est comme si les hommes avaient développé un sens particulier leur permettant de calculer le ratio taille-poitrine d'une femme, et s'en servaient pour, inconsciemment ou pas, évaluer ses capacités à porter des enfants.

Il est aussi évident que les femmes ont utilisé cette connaissance pour augmenter leur séduction en mettant en valeur un faible ratio taille-poitrine grâce à certaines tenues ajustées, vêtements bien coupés, gaines, corsets et bodys.

On a cherché à savoir si ce ratio relativement bas si séduisant pour les hommes occidentaux plaisait autant dans d'autres cultures. On a montré les mêmes dessins que ceux utilisés par Singh dans son enquête (1993) à des hommes de la tribu hadza en Tanzanie, qui vivent éloignés de la culture de l'Ouest. Les hommes hadza ne se montrèrent pas très attirés par les dessins correspondant au ratio de 0,7, ils ont montré au contraire une nette attirance pour des ratios plus élevés (Westman et Marlowe, 1999).

Ainsi, on a relevé que plus le degré d'occidentalisation augmente au sein d'une culture tribale, plus se manifeste une attirance pour un faible ratio (Yu et Shepard, 1998). Dans une société tribale très unie et peu nombreuse, les gens ont une connaissance plus directe des partenaires potentiels, ils n'ont pas besoin d'intermédiaire, comme des indices physiques, pour se faire une idée des qualités d'une éventuelle compagne.

On a utilisé des photos de femmes vêtues à l'identique, images manipulées pour montrer les variations dans le ratio taille-poitrine et l'indice de masse corporelle, qui est une mesure classique du poids par rapport à la taille (Tovée *et al.*, 1999). On a observé que de petites altérations dans l'indice de masse corporelle avaient une grande influence sur la façon dont la séduction des femmes était perçue et que ces altérations avaient beaucoup plus d'impact que celles du ratio taille-poitrine.

Conclusion : l'indice de masse corporelle est le facteur le plus important pour déterminer la séduction.

On a montré (Swami *et al.*, 2007) à des hommes et à des femmes, des images de femmes réparties en cinq catégories, depuis la femme émaciée jusqu'à l'obèse, et on leur a demandé de noter leur séduction. On sait que selon l'OMS, l'indice *normal* de masse corporelle se situe entre 18,5 et 25. Au Royaume-Uni, la femme jugée la plus séduisante avait un IMC de 20,85, alors qu'en Malaisie, le chiffre était légèrement plus élevé.

Les résultats anglais ont aussi montré que la séduction chute rapidement dès lors que l'IMC est inférieur ou supérieur à 20,85. Ainsi, la femme obèse fut jugée deux fois moins attirante que celle dont l'IMC était de 20,85, et la femme la plus maigre reçut une note encore plus mauvaise.

Et pourtant le cliché minceur égale beauté persiste.

Les femmes américaines surestiment la préférence des hommes pour les femmes minces (Buss, 2003).

Lorsqu'on demande à des femmes et à des hommes de choisir la corpulence féminine idéale, les femmes privilégient les modèles plus minces que la moyenne alors que les hommes élisent des femmes d'une corpulence moyenne.

Les femmes se trompent en croyant que les hommes aimeraient que leurs compagnes soient plus minces que la moyenne, et c'est peut-être parce qu'elles tiennent trop compte de l'image véhiculée dans le médias.

En conclusion : que la séduction soit mesurée en termes de ratio taille-poitrine ou d'IMC, les femmes les plus minces ne sont pas forcément considérées comme les plus attirantes.

Un ratio de 0,7 ou un IMC de 20,85 semblent parfaits en Occident, et selon d'autres études menées dans le monde, ce sont les silhouettes rondes qui ont la préférence.

Qui a le courage d'aller le dire aux people ?

Lire aussi : Les gros sont paresseux ; Recherche jolie femme – Recherche homme bonne situation.

LES ÉTUDIANTS SE LA COULENT DOUCE

Nous savons tous que les étudiants ne se lavent pas, ne se lèvent jamais avant 11 heures du matin, font leurs devoirs à la dernière minute, quand ils ne les achètent pas tout faits sur Internet. Le seul moment où ils semblent s'animer, c'est quand ils font des blagues de potaches ou quand ils passent une commande au bar.

Ils n'ont pas beaucoup d'argent parce qu'ils ne veulent pas se donner la peine de chercher un job pour financer leurs études. Le peu d'argent qu'ils ont, ils le dépensent dans les bars ou dans les fast-foods et ils sont beaucoup trop paresseux pour faire eux-mêmes la cuisine.

Avant d'être lynché par la foule ou par des étudiants bosseurs faisant une pause entre deux révisions, je dois d'abord vous préciser que ceci n'est que le reflet de ce que beaucoup de gens pensent, et qui est le stéréotype habituel sur le sujet.

Bien entendu, tous les étudiants ne correspondent pas à ce cliché : la plupart de mes étudiants, par exemple, réussissent leurs études tout en travaillant à temps partiel.

La paresse est un trait de caractère particulièrement peu attirant car les gens paresseux donnent l'impression d'être à l'écart, comme s'ils vivaient dans leur bulle. Chaque nouvelle génération d'étudiants se voit confrontée à des accusations de paresse de la part de parents et de grands-parents qui prétendent qu'à leur époque, eux travaillaient beaucoup plus. Les progrès des sciences et de la technologie accentuent encore les différences entre une génération et la précédente et plus cela va vite, plus le fossé se creuse. À notre époque, même le plus consciencieux des étudiants peut être tenté de se la couler douce : bien que le fait d'assister physiquement aux cours universitaires soit le meilleur moyen d'approcher les matières choisies, les étudiants n'ont plus vraiment besoin de se lever de leur lit le matin pour aller apprendre puisque grâce à Internet, ils peuvent avoir accès facilement à des sites contenant tous les cours qu'ils souhaitent. Les enseignants du supérieur peuvent aisément mettre en ligne leurs cours et leurs diapos réalisés sur Microsoft Power Point et s'ils distribuent en plus les photocopies des documents de recherches et leurs corrigés, il n'est même plus nécessaire de se rendre en bibliothèque.

Arrêtons-nous un instant sur la paresse et l'activité en termes plus généraux afin de comprendre quels facteurs ont pu influencer ces traits chez l'être humain.

On sait que dans notre lointain passé, si nous voulions survivre, nous devions être actifs. Quand nous avions soif, nous devions chercher de l'eau, quand nous avions faim, nous devions chasser, survivre était notre préoccupation essentielle. La paresse signifiait absence de nourriture et, si ce comportement se répétait trop souvent, la mort tout simplement. Puisqu'il s'agit d'une question de survie, on peut se demander pourquoi la paresse n'a pas disparu de notre patrimoine génétique. Parce qu'il était aussi important pour les premiers hommes d'économiser autant que possible leur énergie. Depuis ces temps anciens, nous avons donc évolué comme des êtres qui consacrent le minimum d'énergie à l'effort dès lors que les circonstances l'autorisent. Voilà pourquoi nous sommes tous enclins à succomber au *syndrome de l'étudiant* qui nous empêche de nous consacrer à une tâche tant que nous ne sommes pas dans l'urgence et cela, même si nous avons tout le temps de l'accomplir.

Ce syndrome touche particulièrement les étudiants auxquels on demande de rendre un devoir dans un temps imparti et qui vous répondent que c'est impossible. Vous leur accordez alors généreusement un délai supplémentaire, mais cela ne change rien car ils auront toujours autre chose de plus urgent à finir d'abord. Le même scénario se reproduit donc jusqu'à la dernière minute, quand les étudiants n'ont plus le choix et se mettent au travail dans l'urgence. On retrouve ce type de comportements dans de nombreux domaines et à de multiples occasions, y compris pour le règlement des impôts. Une année, le site Web HM Revenue and Customs pour le paiement des taxes et des impôts, a été saturé le dernier jour de règlement, tout simplement parce que tout le monde avait attendu le dernier moment pour payer.

Ne caricaturons pas, il y a évidemment des moments où les étudiants travaillent de bon cœur, d'arrache-pied et dans les temps. Toutefois, il est difficile d'estimer le temps qu'ils consacrent en moyenne au travail universitaire : après tout, une discussion sur Shakespeare peut aussi bien se tenir dans un bar qu'à la fac. Cela dit, le Higher Education Policy Institute, qui a mené une étude auprès de 15 000 étudiants, a estimé que les étudiants britanniques consacraient en moyenne 26 heures par semaine à leurs études. C'est un peu moins que les étudiants allemands qui étudient environ

35 heures par semaine et que les Portugais qui sont plongés 40 heures par semaine dans leurs livres (MacLeod, 2007).

L'une des explications possibles de la paresse est l'absence de motivation, c'est-à-dire que la personne n'est pas disposée à entamer ou poursuivre une tâche. Selon les psychologues, six facteurs majeurs joueraient sur la motivation étudiante et par voie de conséquence sur la paresse :

• **Intérêt** : les étudiants qui ont peu d'intérêt pour ce qu'ils apprennent sont souvent paresseux. Néanmoins, cela peut évoluer s'ils obtiennent de bons résultats.

• **Besoin** : selon la hiérarchie des besoins de Maslow, (Maslow, 1943) nous avons tous des besoins similaires :
– physiologiques (la faim et la soif) ;
– de sécurité (se sentir protégé et en sûreté) ;
– sociaux (sentiments de propriété et d'amour) ;
– d'estime de soi (reconnaissance et statut social) ;
– de réalisation personnelle (qui autorise la créativité, la spontanéité et la résolution des problèmes rencontrés).

Quand on vise les plus hauts objectifs, il faut travailler et étudier efficacement et pour cela, il faut d'abord assurer ses besoins physiologiques et de sécurité. Malheureusement, de nombreux étudiants ont peu de ressources et doivent trouver un petit job, souvent mal rémunéré, simplement pour payer leur logement et leur nourriture (besoins physiologiques et de sécurité). On comprend donc facilement qu'après avoir mis toute leur énergie là-dedans, ils passent pour des paresseux à l'égard du travail universitaire.

* **Stimulation** : nous avons tous, étudiants compris, besoin d'être stimulés pour donner le meilleur de nous-mêmes. Il est possible que trop de cours universitaires ne parviennent

pas à éveiller l'intérêt des étudiants qui considèrent que l'enseignement est souvent détaché de la vie réelle. Faire en sorte que les étudiants s'impliquent activement dans leur apprentissage pourrait être un bon moyen de les aider à s'engager pleinement.

* **État d'esprit** : cela peut bien entendu influencer la motivation. Beaucoup d'étudiants sont encore des adolescents qui sont sujets à des sautes d'humeur pouvant avoir un effet nuisible sur leurs études.

* **Compétence et capacité** : la certitude que l'on est capable d'accomplir l'objectif fixé est un autre facteur de motivation qui peut neutraliser la paresse. Il est cependant important que les étudiants choisissent des matières correspondant à leurs aptitudes. Ce n'est pas forcément parce qu'on est paresseux qu'on ne parvient pas à prendre son travail en main, ce peut être parce que l'on manque des compétences nécessaires ou de confiance en soi. Les cours ne sont peut-être pas appropriés aux besoins, à l'intérêt et aux capacités de nos jeunes gens.

* **Renforcement** : il en existe deux types, le renforcement positif et le renforcement négatif.

Le renforcement positif implique de remporter une récompense pour la reconnaissance d'un comportement particulier : par exemple, être payé pour un travail accompli. La récompense reconnaît et renforce la tâche réalisée et si la celle-ci est suffisamment évaluée, il est probable que le bon comportement se reproduira. Plus le laps de temps entre la tâche réalisée et la récompense est court, plus le message positif est fort. Remettre un travail à son professeur en temps et en heure ne procurera à l'étudiant que la satisfaction du devoir accompli et éventuellement celle de récolter un *Bravo !* de la part de son professeur en haut de sa copie. Faible renforcement, insuffisant en tout cas pour motiver de nombreux étudiants. Pour aggraver les choses, peu ont pris conscience qu'étudier davantage peut rapporter de meilleures notes et de meilleurs diplômes et donc un meilleur job dans le futur : la perspective de cette récompense est trop lointaine et le lien entre le temps consacré aux études et le meilleur job plus tard trop mince, d'autant que ce dernier dépend également de nombreux autres facteurs.

Le renforcement négatif se produit lorsqu'on n'agit que pour éviter une circonstance indésirable. Par exemple, un étudiant s'inscrit à l'université pour ne pas avoir à chercher un travail. Ensuite, il préférera rester couché pour ne pas avoir à assister aux cours. Doit-on le punir pour cela ? Sans doute pas, de nos jours tous les étudiants peuvent probablement trouver sur leur téléphone portable le podcast de leurs cours. Chez de nombreux jeunes, le problème de motivation remonte à la période scolaire. Les études ont montré que, concernant le travail scolaire, les garçons sont moins motivés que les filles, alors qu'ils sont aussi déterminés qu'elles pour atteindre leurs objectifs personnels et sociaux.

Cette paresse masculine en relation avec le travail scolaire serait provoquée par l'incapacité à établir un lien entre le travail fourni et les notes. Autrement dit, les étudiants se convainquent eux-mêmes que le temps passé à réviser n'aura pas forcément d'impact sur le résultat final. La pression exercée par les copains joue aussi contre les garçons et les dissuade d'effectuer les heures d'étude nécessaire. Réviser n'est pas cool. Une attitude que l'on retrouvera aux différentes étapes de leurs études.

Dans *Le Mythe de la paresse* (Levine, 2003), Marc Levine prétend que la paresse pourrait être attribuée à un dysfonctionnement neurodéveloppemental causé par une combinaison de facteurs génétiques et environnementaux. Levine manifeste de la compassion vis-à-vis des personnes qui ont un comportement paresseux, il estime que puisque nous ne traitons pas un individu d'idiot même quand son comportement l'est manifestement, nous ne devrions pas traiter quelqu'un de paresseux quand cette personne fait preuve de paresse. Partisan d'un point de vue optimiste et partant du principe que chacun de nous préfère réussir plutôt qu'échouer, il suggère que l'on devrait s'attacher à développer des environnements encourageant la création plutôt que la paresse.

Pour ma part, je suis d'accord avec le fait que la plupart des gens ont envie d'être productifs mais je ne suis pas convaincu que chacun soit prêt à faire les efforts nécessaires pour y parvenir.

Les étudiants sont parfois paresseux mais ce n'est pas surprenant car ce sont souvent les circonstances qui les y encouragent : quand nous en avons l'occasion, nous sommes tous des êtres paresseux. Si demain, je gagne le gros lot, je pourrai arrêter de travailler et profiter des plaisirs de la vie. Je saisirai cette chance sans hésiter, comme la plupart des gens, même si je risque de devenir paresseux.

Pourquoi ?

Parce que l'occasion m'en est donnée et que c'est dans la nature humaine.

Si les étudiants se la coulent douce, c'est parce qu'ils le peuvent. Dans les pays industrialisé, nous avons aujourd'hui une surabondance des ressources essentielles et nous sommes donc moins motivés pour satisfaire nos besoins immédiats. Ceux qui continuent à travailler dur même lorsque leurs besoins immédiats sont satisfaits, le font en pensant à l'avenir et à de futurs projets. Cela dit, la majorité d'entre nous est plus attirée par une récompense immédiate, comme choisir le plaisir immédiat de regarder la télévision plutôt que de se plonger dans la lecture d'un ouvrage qui pourra être utile dans un futur examen.

Je pourrais continuer à écrire mais la date de remise de mon livre est dans plusieurs mois.

Alors, je vais plutôt aller regarder un bon film à la télé.

Lire aussi : Les gros sont paresseux.

Le tombeur et la traînée

J'ai une copine dont le surnom est Marie couche-toi là. Vous trouvez peut-être cela amusant, mais elle, cela ne la fait pas rire.

Jimmy Carr, Live at the Apollo, BBC 1 (Décembre 2007)

L'expression *jeter sa gourme* ou encore *lancer son bonnet par-dessus les moulins* est un euphémisme pour décrire un comportement volage. C'est péjoratif, surtout pour les femmes, car il y a des hommes qui sont fiers de leur réputation de tombeur. Une femme, en revanche, ressent cela plutôt comme une honte car elle risque d'être considérée comme une femme aux mœurs légères, une traînée. C'est encore un exemple des nombreuses différences existant entre les hommes et les femmes dans le domaine de la sexualité. Un vaste sujet qui fait le bonheur de l'industrie cinématographique.

Ce cliché signifie que multiplier les aventures, c'est viril et positif chez un homme, mais une femme qui se conduit de la sorte est une fille facile, une Marie couche-toi là.

Ce qui est souvent résumé de la façon suivante : « Les femmes ont besoin d'une raison pour faire l'amour, les hommes ont juste besoin d'un endroit. »

Mais est-il vrai que les hommes sont plus disposés que les femmes à avoir des rapports sexuels occasionnels ?

La sexualité est un domaine que les scientifiques ont largement exploré dans tous les sens et, dans leur grande majorité, les chercheurs soutiennent sans réserve l'hypothèse selon laquelle de nombreux hommes ont le sentiment qu'ils doivent *jeter leur gourme*, si l'occasion se présente (Okami et Shackelford, 2001 ; Clark, 1990).

On a demandé (Clark et Hatfield, 1989) à des étudiants volontaires, des filles et des garçons d'une séduction moyenne, d'approcher des représentants du sexe opposé qu'ils n'avaient jamais rencontrés auparavant et de leur poser une de ces trois questions :

– Est-ce que tu veux sortir avec moi ce soir ?
– Est-ce que tu veux bien venir chez moi ?
– Est-ce que tu as envie de coucher avec moi ?

Résultat : les filles, autant que les garçons, étaient d'accord pour sortir avec quelqu'un qu'elles venaient à peine de rencontrer. Mais les garçons étaient onze fois plus partants que les filles pour se rendre chez une fille. Et aucune fille n'accepta de faire l'amour avec un garçon inconnu, contre 75 % des garçons qui répondirent positivement à l'offre. Et ceux qui rejetèrent la proposition le firent en s'excusant et en expliquant que c'était parce qu'ils sortaient déjà avec quelqu'un. Aucune des filles ne s'excusa, ce qui sous-entend que leur refus n'était pas lié à un autre facteur, elles n'étaient tout simplement pas intéressées.

Conclusion : alors que de nombreux hommes trouvent attirante l'idée de faire l'amour avec une inconnue, ce n'est pas le cas des femmes (Buss, 1994).

On pourrait croire que l'une des explications possibles de la réticence des femmes dans ce domaine serait la peur des risques encourus en rencontrant des hommes inconnus. Mais après analyse des données de cette enquête, on s'aperçoit que ce n'est pas le cas. Aucune des femmes interrogées n'a avancé la peur comme raison de son refus de faire l'amour avec un étranger. D'autant que 50 % d'entre elles étaient d'accord pour sortir avec un inconnu, ce qui aurait pu, tout aussi bien, les placer dans une situation risquée.

Dans une étude ultérieure (Clark, 1990), on a rassemblé des amis intimes et on a déclaré à chacun(e) des participant(e)s qu'il y avait dans l'assistance une personne qu'il/elle connaissait particulièrement bien qui avait envie d'avoir des relations sexuelles avec lui/elle. L'intention des enquêteurs était de supprimer le facteur risque pour les femmes. Celles-ci déclarèrent en grande majorité qu'elles étaient d'accord pour sortir avec un homme même connu d'elles, mais aucune ne se montra attirée par l'idée de l'acte sexuel. Finalement, une autre recherche prouva par la suite que les lesbiennes, qui ne courent pas le risque d'être agressées par une hypothétique violence masculine, répondaient de la même façon et montraient le même manque d'intérêt pour les relations occasionnelles (Bailey *et al.*, 1994).

Deux études menées en 1990 démontrent clairement que les hommes, en revanche, ne partagent pas du tout ce désintérêt. On a demandé à des femmes et à des hommes de dire s'ils pourraient faire l'amour avec quelqu'un qu'ils connaîtraient depuis une heure, un jour, une semaine, un mois, six mois, un an, deux ans, cinq ans.

Ce n'est qu'au niveau des cinq ans que les enquêteurs reçurent un niveau de réponse similaire pour les deux sexes.

À toutes les autres étapes, les hommes se montraient largement plus disposés que les femmes à avoir des rapports sexuels (Buss et Schmitt, 1993).

Mais le plus surprenant peut-être, ce sont les réponses à la question suivante, posée à des hommes et des femmes mariés ou en couple :

Si l'opportunité se présentait d'avoir une relation sexuelle anonyme avec un membre du sexe opposé, qui serait aussi habile que votre partenaire habituel mais pas plus, et qui serait aussi séduisant que votre partenaire habituel mais pas plus, et s'il n'y avait ni risque de grossesse ou de maladie ni aucun risque que cette aventure ait une suite, est-ce que vous saisiriez cette opportunité ? (Ellis et Symons, 1990)

Les hommes répondirent « Oui, certainement » quatre fois plus que les femmes, et les femmes répondirent « Non, certainement pas » deux fois et demie plus que les hommes. Ceux des hommes qui n'étaient pas dans une relation de couple durable ont répondu positivement six fois plus que les femmes.

Il y a donc de nombreuses preuves qui viennent étayer ce cliché. Par exemple, la majorité des clients des prostitués sont des hommes (Burley et Symanski, 1981).

Quand on compare les fantasmes des hommes et des femmes, on s'aperçoit que les femmes mettent davantage l'accent sur les aspects sentimentaux (Ellis et Symons, 1990). Les relations physiques occasionnelles donnent aux femmes un sentiment négatif de vulnérabilité, alors qu'elles apportent aux hommes une réduction positive de leur anxiété (Townsend, 1995).

Toutes ces preuves renforcent la recherche révolutionnaire qui fut menée sur les comportements sexuels dans les années 1940 et dont la conclusion était : « Il ne fait aucun doute que s'il n'y avait aucune restriction sociale, l'homme aurait un comportement sexuel volage » alors que « La femme est beaucoup moins intéressée par une variété de partenaires » (Kinsey *et al.*, 1948).

Comment expliquer que les hommes ont plus de relations sexuelles occasionnelles que les femmes si celles-ci n'en ont pas ? Qui donc ces hommes rencontrent-ils ? Est-ce qu'une poignée de femmes seulement coucherait avec des milliers d'hommes ? Ou bien est-ce que les hommes exagèrent le nombre de leurs aventures sexuelles dans la même proportion que les femmes minimisent les leurs ? Il est vrai que la plupart des enquêtes sont fondées sur ce que les intéressés disent et non pas sur des faits réels et vérifiés. Et l'on sait que la formulation des questions peut aussi influencer la façon dont les gens répondent.

Nous savons tous que dans toutes les comédies, le personnage de la femme aux mœurs légères est mal vu et peu considéré, et cela peut aussi avoir une incidence sur les réponses lors d'une enquête.

On se souvient de cette histoire fameuse mettant en scène le président américain Calvin Coolidge (1872-1933) qui visitait avec son épouse une ferme modèle d'élevage de poulets dans le Kentucky. Lors de cette visite guidée, le président et sa femme n'étaient pas dans le même groupe. Lorsque Mrs Coolidge demanda pourquoi il n'y avait qu'un coq, on lui répondit que c'était parce qu'il pouvait s'accoupler des douzaines de fois par jour. Fortement impressionnée, elle répondit : « Vous devriez le dire au président. »

Quand ce dernier le sut, il fut d'abord abasourdi, puis il demanda à son tour si le coq s'accouplait toujours avec la même poule. On lui répondit : « Oh, non, monsieur le président, c'est une nouvelle poule chaque fois ! » Il hocha la tête songeusement avant d'ajouter : « Vous devriez le dire à Mrs Coolidge. »

Le fait que l'on puisse maintenir longtemps une excitation sexuelle chez un même mâle en introduisant régulièrement dans son entourage de nouvelles femelles est désormais connu sous le nom d'*effet Coolidge*.

Ce phénomène s'observe aussi chez les humains. Quand on demande à des hommes et à des femmes s'ils estiment avoir suffisamment de rapports sexuels, 56 % des hommes et 41 % des femmes répondent négativement ; 37 % des hommes et seulement 18 % des femmes déclarent qu'ils aimeraient avoir plus de partenaires alors que 63 % des femmes et seulement 38 % des hommes disent qu'ils aimeraient faire l'amour plus souvent avec leur partenaire habituel (Wilson, 1989).

Pourquoi les hommes ont-ils plus envie que les femmes d'avoir des relations sexuelles occasionnelles ?

Dans le monde animal, les mâles sont plus facilement excitables que les femelles : des grenouilles mâles tenteront de s'accoupler avec tout ce qui de près ou de loin ressemble à une femelle grenouille, sans parler des mouches qui copulent joyeusement avec tout ce qu'elles trouvent.

La réponse, il faut la chercher dans l'histoire de l'évolution des espèces et dans les lois de la nature : il est logique pour un mâle d'avoir plusieurs partenaires, lesquelles pourront toutes porter sa descendance, alors qu'une femelle qui a choisi un partenaire ne tirera aucun avantage de la semence d'autres mâles. Le coureur, ou le tombeur, augmentera ses chances de se reproduire alors que la femelle volage risquera maladies, jalousie, violence et d'élever seule sa descendance. C'est pourquoi le patrimoine héréditaire du mâle coureur s'est répandu alors que celui de la femelle volage s'est appauvri jusqu'à s'éteindre.

Bien sûr, notre désir sexuel n'est pas forcément l'expression consciente de notre désir de reproduction. Nous faisons aussi l'amour parce que nous aimons cela. Un orgasme provoque un pic de dopamine qui règle la sensation de plaisir et l'*effet Coolidge* nous rappelle que cela peut se reproduire souvent, ce qui est à la fois une bonne nouvelle pour notre bien-être et pour notre descendance.

Pour terminer sur une mise en garde, il serait trompeur de conclure qu'aucune femme ne se lance dans les amours de passage ou que tous les hommes le font. Et tout ce qui précède ne doit pas non plus être un prétexte pour excuser un comportement masculin volage…

Lire aussi : Recherche jolie femme – Recherche homme bonne situation ; Ils ne pensent qu'au sexe ; Les hommes sont des obsédés de porno.

Se faire des cheveux blancs

Il paraît que les cheveux de Thomas More et ceux de Marie-Antoinette blanchirent d'un coup la nuit précédant leur exécution. Ce blanchiment soudain étant en quelque sorte une réaction au stress extrême causé par l'imminence de leur supplice. Bien que cela n'arrive pas en général aussi vite – ni dans des circonstances aussi tragiques –, le fait que le stress fasse apparaître des cheveux blancs est tout de même une croyance populaire profondément ancrée.

Les cheveux blancs étant associés à la vieillesse, c'est par conséquent quelque chose que nous surveillons avec inquiétude et que nous ne sommes pas pressés de voir arriver.

Tout commence dans les follicules qui sont des bulbes minuscules implantés dans le cuir chevelu. En règle générale, nous en avons 100 000. Tout au long de notre vie, chacun de ces follicules peut produire plusieurs cheveux. À la base de chaque follicule, il y a des cellules de différents types. Les kératinocytes produisent la kératine, une protéine incolore qui donne à chaque cheveu sa texture et sa robustesse. Les mélanocytes produisent un pigment appelé mélanine, dont les deux nuances se combinent pour créer la vaste palette de couleur des cheveux humains. Quand les cheveux ont perdu leur mélanine, ils deviennent gris, puis finalement blancs (Ballantyne, 2007).

D'une personne à une autre, il existe des différences sensibles quant à l'âge où l'on voit apparaître son premier cheveu blanc mais en général, c'est vers 30 ans pour les hommes et 35 ans pour les femmes. La question de savoir si l'hormone du stress peut diminuer la fabrication de mélanine ou si cela relève plutôt d'un caractère héréditaire, a fait l'objet d'un long débat.

Certains ont avancé l'hypothèse que le fait de grisonner prématurément (Hanjani et Cymet, 2003) est déterminé par l'hérédité, mais que le stress associé à d'autres facteurs, comme le mode de vie, pourrait l'accélérer.

Ce ne serait pas l'anxiété qui provoquerait la mort précoce des cellules de mélanocyte, mais cela contribuerait à la chute des cheveux, et plus souvent ces derniers tombent et repoussent, plus vite les cellules pigmentaires se détériorent.

13 000 hommes et femmes ont participé à une vaste enquête menée à Copenhague sur la cardiologie (Schnorr *et al.*, 1998). Le but était de déterminer si on pouvait établir un lien entre cheveux blancs et taux de mortalité. Bien qu'ils n'aient mis en évidence qu'une faible corrélation directe, les chercheurs ont observé un très faible taux de mortalité parmi les hommes n'ayant aucun cheveu gris. Ils ont en revanche noté un lien évident entre le fait de fumer et l'apparition précoce de cheveux blancs, tant pour les hommes que pour les femmes, bien que, encore une fois, ils n'aient pas pu établir de lien de cause à effet (Mosley et Gibbs, 1996).

Alors, qu'est-il arrivé à Marie-Antoinette ?

Il existe un état extrêmement rare appelé telogen effluvium dans lequel le stress accentue la chute précoce des cheveux (décrit par Hanjani et Cymet). Cela se produit en général dans les deux ou trois mois qui suivent un événement stressant. Si Marie-Antoinette ou Thomas More avaient des cheveux déjà grisonnants, peut-être que cette chute brutale, en une nuit, n'a laissé en place que les cheveux blancs. Cela dit, dans le cas de Marie-Antoinette, on peut aussi se demander si le fait de ne plus porter de perruque, puisqu'elle n'était plus à la cour mais en prison, n'a pas simplement révélé ses cheveux qui étaient déjà blancs.

Si vous avez des cheveux blancs, pas de panique, vous risqueriez d'aggraver la situation !

Si vous êtes une femme et que cela vous chagrine, profitez de ce que l'industrie capillaire et cosmétique offre de nos jours, et si vous êtes un homme, dites-vous que George Clooney, l'acteur qui a remporté un Oscar, est considéré comme l'un des hommes les plus sexys du monde.

Lire aussi : La blonde est stupide ; Les hommes préfèrent les blondes ; La rousse sulfureuse.

Futile comme une femme de footballeur

Alors que la réputation des footballeurs s'établit sur le terrain, celle de leurs femme ou de leurs compagne se construit en général dans les boutiques et autour de leur garde-robe.

Elles sont souvent considérées comme des femmes stupides uniquement intéressées par leur bronzage artificiel tirant sur l'orange et la sortie d'un nouveau sac à main.

En général, il y a plus de chances pour que cela marche entre deux personnes lorsque celles-ci sont bien assorties, et nous savons tous qu'en pratique, nous devons accepter des compromis. Quand nous nous engageons, c'est toujours dans l'espoir d'avoir fait le meilleur choix possible : celui d'avoir élu celui ou celle qui apportera à la relation des qualités comparables à celles que nous pouvons offrir en retour (Gross et Rolls, 2006).

Le football professionnel en Grande-Bretagne n'est pas une activité très intellectuelle mais elle est très bien rémunérée. Bien que plus de 40 % de la population anglaise aille de nos jours à l'université, c'est rarement le cas des footballeurs. Ces derniers ne sont en général pas considérés comme des personnes sachant bien s'exprimer – il suffit d'écouter une de leurs interviews après un match, c'est assez édifiant – et on n'hésite pas à mettre leurs compagnes dans le même sac, partant du principe que « qui se ressemble s'assemble ».

Et pourtant, il ne faut pas sous-estimer ces dames ! Sur les 12 compagnes des footballeurs professionnels le plus souvent cités dans les journaux, 5 ou plus ont obtenu avec mention le GCSE, le General Certificate of Secondary Education, c'est-à-dire l'équivalent du brevet des collèges français, 2 ont obtenu trois *A levels*. (l'équivalent du bac français, sauf que les *A levels* sont obtenus séparément dans un nombre limité de matières, trois en moyenne, choisies par le candidat). Et 2 autres compagnes de footballeurs ont été à l'université. Ajoutons à cela le fait que deux d'entre elles avaient mené de brillantes carrières dans la musique avant d'épouser leurs célèbres maris et le tableau est complet.

La réussite de ces douze femmes si calomniées est telle que le Learning and Skills Council, dont l'objectif est d'aider à améliorer les comportements de la jeunesse, les a pris pour modèles dans une campagne visant à encourager les jeunes filles à poursuivre leur scolarité après l'âge de 16 ans.

Dire que les femmes de footballeurs sont des bimbos ignorantes est donc un cliché infondé. Certaines choisissent d'ignorer la critique : « Les gens sont jaloux » ; d'autres réagissent et répliquent afin de prouver que le stéréotype est infondé ; enfin il y a celles qui se désolidarisent du reste du groupe, comme l'une d'elles qui a déclaré : « C'est comme une comédie. Chacune s'exhibe, les femmes de footballeurs sont aussi nulles et inutiles que des parasites. Des parasites de grand standing. »

La relation entre deux personnes est comme un match de foot nécessitant la présence de deux équipes, et l'épouse apporte une véritable contribution au couple.

Les compagnes actuelles de nos footballeurs sont beaucoup plus éduquées qu'eux. Oui, c'est vrai qu'elles aiment faire du shopping, mais à voir comment elles utilisent la carte de crédit de leur compagnon, tous nos doutes sur leur intelligence se lèvent. Quand votre mari est multimillionnaire, ce qui serait stupide, ce serait de ne pas en profiter !

Les fous sont dangereux

La folie fait peur, c'est pourquoi les personnes atteintes de maladies mentales ont toujours été isolées, incomprises et souvent négligées. Il y a quelques centaines d'années, on croyait que les gens qui avaient des problèmes mentaux étaient des possédés du démon et ils finissaient leur vie sur le bûcher ; quant à ceux que l'on appelait des lunatiques, ils étaient confinés dans des asiles. Même au XXe siècle, des malades mentaux ont porté la camisole de force.

De tout temps, les gens atteints de troubles psychiques ont été traités comme des citoyens de seconde zone, une attitude fondée sur l'ignorance et qui a souvent conduit à leur coller sur le dos une étiquette disant : *fou, mauvais et dangereux*. On attribue l'expression à Lady Caroline Lamb qui l'employa pour décrire son amoureux controversé, le poète romantique Lord Byron (1788-1824) ; elle serait restée dans le langage courant sous la forme de « fou dangereux » pour parler de malades mentaux.

Existe-t-il des preuves scientifiques établissant le fait qu'un malade mental est quelqu'un de dangereux ou de mauvais ? Peut-on même parler de fou ?

D'abord, vérifions l'allégation selon laquelle le malade mental menacerait la sécurité des individus. Le risque d'être confronté à un tueur fou est heureusement faible. Mais il est vrai que des meurtres célèbres ont frappé les esprits. Après le meurtre de Lin et Megan Russel en 1996, par Michael Stone qui souffrait de graves troubles mentaux, les médias avaient posé la question du lien entre folie et violence. La relation entre les deux est incontestable mais contrairement à ce que l'on croit, le malade mental est plus souvent victime qu'agresseur. Il court quatre fois plus de risques de subir une attaque physique ou verbale. Il est rare que les gens connaissant de réelles difficultés mentales soient auteurs de violences. En 2002 et 2003, moins de 5 % des 873 homicides commis en Angleterre et au pays de Galles, furent attribués à des gens suspectés de troubles mentaux (Povey, 2004).

Une étude menée sur les soins en dehors du milieu hospitalier et la « dangerosité » supposée des malades mentaux, conclut : il n'y a aucune preuve que leur vie en collectivité soit dangereuse pour la communauté et que l'on doive revenir en arrière. L'affirmer serait les stigmatiser, les condamner (Taylor et Gunn, 1999).

Une personne souffrant de troubles mentaux peut-elle être « mauvaise » ?

Pendant des milliers d'années, la croyance populaire a attribué les comportements bizarres à l'œuvre du diable. Dans certaines cultures, sous prétexte d'exorcisme, les malheureux étaient torturés. De nos jours, heureusement, personnes ne reproche leurs troubles aux malades mentaux. Avoir l'appendicite ne vous rend pas « mauvais », pourquoi serait-ce le cas d'une autre maladie ?

Le terme « fou » n'est du reste pas un terme médical et aucun professionnel de la santé mentale ne l'utiliserait aujourd'hui. C'est un terme générique signifiant « souffrant d'un désordre de l'esprit ». Il est pourtant souvent utilisé par les profanes pour évoquer la maladie mentale. Des universitaires se sont interrogés sur l'existence même de la maladie mentale.

Thomas Szasz, le cofondateur de la Citizens Commission on Human Rights, a émis l'idée que la maladie était un concept physique qui ne pouvait pas s'appliquer à un désordre psychologique. Poussant le raisonnement jusqu'au bout, il a conclu en affirmant que la maladie mentale était un mythe (Szasz, 1972).

Bien que cette idée – et le mouvement antipsychiatrie – ait eu de nombreux supporters dans les années 1970, elle n'est aujourd'hui plus prise au sérieux (Tantum, 1991).

Regardons maintenant de plus près les étiquettes que l'on pose sur les personnes souffrant de troubles mentaux. Je dois d'abord insister sur le fait que je crois que la maladie mentale existe et a des effets préjudiciables à long terme. Mais on sait bien que nous avons tous tendance à cataloguer, en particulier les personnes qui ne sont pas conformes à la norme sociale, ce qui est évidemment le cas de ceux qui souffrent de désordres mentaux. Comme ces normes sont subjectives et différentes d'un pays à l'autre et d'une culture à l'autre, le diagnostic de la maladie mentale présente de nombreuses difficultés. Une fois que le patient est catalogué comme malade mental, son état risque de se dégrader, l'étiquette devenant la fameuse *prédiction qui se réalise.* Et pire, les attitudes négatives des autres peuvent avoir pour effet de maintenir et d'exacerber les troubles.

Le psychologue David Rosenhan qui travaillait à la même époque que Thomas Szasz, et qui fut influencé par les mêmes idées, voulut examiner si les termes utilisés par les psychiatres dans leurs diagnostics étaient corrects (Rosenhan, 1973).

Pouvaient-ils de manière fiable distinguer entre sains d'esprits et aliénés ? Dans une étude brillante qui démontre clairement combien il est délicat et difficile de diagnostiquer la maladie mentale, Rosenhan demanda à huit personnes saines de corps et d'esprit d'essayer de se faire admettre dans un service psychiatrique hospitalier sous le prétexte qu'elles entendaient des voix. Une fois admises, elles devaient se comporter tout à fait normalement. Tous les pseudo-patients furent admis dans des hôpitaux différents et traités comme s'ils avaient une maladie mentale. Regardés de haut par l'équipe médicale et ignorés par le personnel, les faux malades en profitèrent pour prendre des notes sur leur expérience et cette attitude fut jugée comme étant un signe de leur maladie mentale : *prise de notes compulsive.* La plupart racontèrent la difficulté qu'ils avaient à établir un contact avec les autres patients, et cela aussi fut considéré comme un symptôme. Et le clou de l'histoire, c'est que ce furent les malades et non les médecins qui les identifièrent comme simulateurs. En moyenne, les pseudo-patients restèrent à l'hôpital 19 jours, l'un d'eux arriva à tenir 52 jours.

Cette étude démontre que même les psychiatres peuvent être influencés par leur attachement à l'étiquette qu'ils ont eux-mêmes apposée. Des œillères en quelque sorte qui peuvent les empêcher d'avoir une perception juste du comportement d'une personne. Si des psys entraînés ne parviennent pas à distinguer un dément d'une personne saine d'esprit, alors qu'est-ce qui nous permet d'affirmer que quelqu'un est fou ?

Rosenhan voulut pousser ses recherches encore plus loin. Il informa un autre hôpital qu'il voulait lui confier des pseudo-patients sur une période de 3 mois. Il désirait demander à l'équipe d'évaluer chaque nouveau malade et de déclarer si celui-ci simulait une pathologie ou était sincère. Bien que Rosenhan n'ait en fait envoyé aucun pseudo-patient, sa demande sema le doute chez les médecins si bien que sur les 193 admis pendant cette période, on enregistra un nombre important de cas déclarés douteux – ce qui prouve une fois encore que la frontière entre un *esprit sain* et un *esprit perturbé* est loin d'être évidente.

Deux ans après cette étude, en 1975, sortit le film oscarisé *Vol au-dessus d'un nid de coucou,* réalisé par Milos Forman et tiré du roman de Ken Kesey. Quand le héros principal, R.P. McMurphy, joué par Jack Nicholson, est reconnu coupable d'agression, il réagit de telle façon qu'on le pense atteint de folie et qu'on l'enferme dans un hôpital psychiatrique.

Étiqueter ou cataloguer quelqu'un comme étant un fou dangereux et violent, peut avoir des conséquences particulièrement dramatiques. Que nous souffrions ou pas de troubles mentaux, nous sommes tous capables de nous conduire à certains moments comme des *fous*, et réciproquement, ce n'est pas parce que nous nous comportons *dangereusement* que nous sommes *fous* pour autant.

Comment lutter contre ce cliché si bien ancré dans la conscience populaire et qui associe folie et violence ? Les médias et l'éducation ont un rôle prépondérant dans l'évolution des mentalités. Des témoignages sur des malades mentaux qui ont retrouvé la raison, ou sur des personnes qui souffraient de troubles mentaux et qui malgré cela ont apporté des contributions à la société (ce qui est le cas de la majorité d'entre elles), aideraient à changer les choses et c'est ce que nous espérons.

Souffrir d'une maladie mentale est suffisamment difficile sans y ajouter le poids des préjugés de l'opinion publique.

Lire aussi : L'inconnu est une menace ; Le gardien de prison est sadique ; Le schizophrène à la double personnalité.

Le sexe faible

Sur le plan de la force physique, il est indéniable que les hommes sont plus forts que les femmes.

L'année dernière, le vainqueur du Concours international de l'homme le plus fort du monde fut Mariusz Pudzianowski, surnommé Super Mario. Comme c'était la cinquième fois en sept ans qu'il remportait le titre, on peut dire qu'il le mérite.

Chez les femmes, la championne fut Aneta Florczyk, qui a remporté quatre fois le Championnat du monde de la femme la plus forte du monde, et bien qu'elle n'ait pas soulevé 285 kilos de fonte comme Super Mario, elle est, sans nul doute, plus forte que la majorité des hommes.

Le cliché de la faible femme n'a pas à voir seulement avec la force physique. Est-ce que les femmes sont plus faibles que les hommes dans les autres domaines ? Il semble que non. Au niveau de la conception, on compte 115 garçons pour 100 filles. À partir de ce moment, c'est le sexe masculin qui semble le plus faible des deux. Bien qu'il y ait un peu plus de naissances masculines que féminines (105 garçons pour 100 filles), les fœtus garçons ont moins de chances d'arriver à terme que les fœtus filles.

Quoi qu'il en soit, la mortalité néonatale et le syndrome de la mort subite du nourrisson touchent davantage les garçons que les filles. Les garçons survivants sont plus susceptibles que les filles d'être atteints d'autisme, du syndrome de Tourette, de dyslexie ou de rencontrer des difficultés d'apprentissage (Jones, 2003).

Les garçons ont beaucoup de mal à résister aux pressions de l'entourage, et notamment des copains. C'est l'une de leurs plus grandes faiblesses qui les conduit souvent à adopter des comportements à risque ; c'est pourquoi le taux de mortalité chez les ados garçons est deux fois plus élevé que chez les ados filles. Cependant, le cliché selon lequel ce sont les garçons qui traînent dans les rues à moitié saouls est faux. En 2004, on a interrogé 2 000 jeunes Britaniques âgés de 15 et 16 ans sur leurs habitudes en matière d'alcool (Plant, 2004) et pour la première fois, le pourcentage total d'ados filles ayant eu une consommation excessive d'alcool (plus de 5 verres par soir) était plus élevé que celui des garçons : 32 % chez les filles contre 25 % chez les garçons.

Passé l'adolescence, on enregistre plus de suicides chez les hommes que les femmes, bien que le nombre de tentatives soit plus élevé chez les femmes.

À partir de l'âge de 35 ans, on compte plus de femmes que d'hommes dans la population vivante. Peut-être parce qu'ils continuent d'adopter des comportements à risque, les hommes sont plus vulnérables aux accidents, le taux de cancers est plus élevé chez les hommes, de même que le diabète et les maladies cardiaques. Et pourtant, malgré ce risque de maladie accru, les hommes se rendent deux fois moins chez le médecin que les femmes au prétexte qu'ils n'ont pas le temps. Une fois dans le cabinet médical, ils ont du mal à expliquer pourquoi ils consultent, ils se disent gênés et embarrassés. Cela explique peut-être la raison pour laquelle les hommes sont plus souvent victimes de maladies graves que les femmes, maladies qui auraient pu être guéries si elles avaient été diagnostiquées à temps. Au Royaume-Uni, les hommes meurent 5 ans plus tôt que les femmes, l'espérance de vie est de 81 ans pour les femmes et de 76 ans pour les hommes. On compte 8 centenaires femmes pour 1 homme.

Cela dit, il y a des domaines dans lesquels les hommes sont plus robustes que les femmes.

Il y a plus de migraines féminines que masculines, et un certain nombre de maladies et d'affections touchent davantage les femmes que les hommes, à un âge plus précoce et d'une façon plus sévère : par exemple, l'ostéoarthrite, l'arthrite rhumatoïde et l'ostéoporose. Les athlètes féminines se plaignent également plus que les hommes de problèmes de genoux. Concernant la dépression, elle serait plus courante chez les femmes ; cependant, il n'est pas démontré statistiquement une réelle différence du nombre de dépressions chez l'homme et chez la femme.

On dit souvent que les femmes supportent mieux la douleur que les hommes, et notamment parce qu'elles arrivent à surmonter la douleur de l'accouchement.

Néanmoins, les recherches suggèrent que ce n'est pas le cas : quand on fait une comparaison entre les femmes et les hommes, on s'aperçoit que les femmes se plaignent de plus de douleurs, dans de nombreuses parties du corps, se produisant plus souvent et durant plus longtemps. Afin de mesurer la résistance à la douleur, on a réalisé l'expérience suivante : des volontaires ont mis un bras dans de l'eau à 37 °C pendant deux minutes avant de le plonger dans un bain froid à 1 ou 2 °C pendant un maximum de deux minutes.

Les chercheurs ont pris deux mesures : le point auquel le volontaire signalait la douleur (seuil de douleur) et celui au-delà duquel il déclarait ne plus pouvoir la supporter (seuil de tolérance).

Les résultats montrent que les hommes ont un seuil de douleur et un seuil de tolérance plus élevés que les femmes. La différence dans la perception de la souffrance est peut-être due à une combinaison de facteurs hormonaux, sociaux et culturels.

Ou bien est-ce parce que les deux sexes perçoivent la douleur d'une manière différente ? Les recherches suggèrent que les femmes se concentrent davantage sur les aspect émotionnels alors que les hommes sont plus orientés sur les sensations physiques (Keogh, 2008 ; Mitchell *et al.*, 2004).

Qu'en est-il de nos capacités à réussir dans la vie ? Depuis la fin des années 1960, le taux de réussite scolaire chez les garçons est plus bas que celui des filles. Selon la Fondation Joseph Rowntree, il y a plus de garçons que de filles en échec scolaire au Royaume-Uni (3 garçons pour 2 filles) (Cassen et Kingdon, 2007).

Des chiffres scolaires qui commencent à se refléter dans le monde professionnel où les femmes sont de plus en plus nombreuses à occuper des jobs autrefois réservés aux hommes.

En 2005, 63 % des étudiants en comptabilité, 62 % des étudiants en droit, 58 % des étudiants en médecine et en dentisterie étaient des femmes (*The Observer*, 2007).

En fait, il semblerait que l'homme soit devenu le sexe faible.

Certains affirment que l'infertilité masculine est en augmentation alors que le nombre de spermatozoïdes diminue – peut-être à cause des pesticides – et que les hommes auront complètement disparu d'ici 5 000 générations (Sykes, 2003). Dans moins de 125 000 ans, la race humaine reposera sur une reproduction exclusivement féminine en laboratoire (Sykes, 2003).

Que pouvons-nous faire pour lutter contre cela ? Parce que nous étions convaincus que les femmes constituent le sexe faible de la population, nous n'avons pas assez prêté attention aux hommes et avons négligé leur santé. Cela doit changer le plus vite possible avant que les hommes ne disparaissent à jamais.

Alors les femmes ne seraient plus le sexe faible mais le seul sexe qui resterait sur terre.

Lire aussi : Les femmes sont émotives ; La femme qui a des migraines.

La méchante belle-mère

Le mot *belle-mère* est souvent accompagné de l'adjectif *méchante.* Souvenez-vous dans *Blanche-Neige et les sept nains,* la méchante belle-mère fut si horrifiée quand son miroir magique lui dit que sa belle-fille Blanche-Neige était plus belle qu'elle, qu'elle engagea quelqu'un pour la tuer. Dans *Hansel et Gretel* et dans *Cendrillon,* les belles-mères sont décrites comme cruelles, injustes et désagréables (Dainton, 1993). Alors que, de leur côté, les mères et les filles sont belles, douces et affectueuses.

La méchante belle-mère des contes de fées aurait une fonction utile, elle jouerait le rôle d'un tampon émotionnel, en particulier pour les enfants auxquels la plupart de ces histoires sont destinées (Bettelheim, 1989). Alors que montrer une mère sous les traits d'un bourreau cruel serait insupportable pour des enfants, accorder ce rôle à une belle-mère créerait la distance nécessaire leur permettant de donner, sans risque, libre cours à leurs sentiments négatifs vis-à-vis de leur mère réelle. Puisque l'on présume que toutes les mères débordent d'amour et de bonté, le destinataire de tous les sentiments négatifs que l'on éprouve à leur égard, c'est la belle-mère (Watson, 1995).

Observons quelques faits à propos des belles-familles en général.

La belle-famille – c'est la famille reliée par le mariage plutôt que par le sang.

Les Grecs et les Romains pensaient que l'attitude négative manifestée par la belle-mère à l'égard de ses beaux-enfants était normale et dans l'ordre des choses. Ceci se retrouvait dans des expressions de tous les jours, par exemple une journée faste était une journée mère et un mauvais jour un jour belle-mère (Roesch, 2007).

Quand, après un deuil, l'époux survivant se remarie ou bien lorsque après un divorce il y a remariage, alors se crée une belle-famille, que l'on appelle aujourd'hui famille recomposée. Étant donné le nombre croissant d'échecs conjugaux, il y a de nos jours de plus en plus de beaux-parents.

Il y avait en 2004 au Royaume-Uni, environ 2,5 millions d'enfants élevés au sein de familles recomposées (Doodson et Morley, 2006). Aux États-Unis, l'estimation est de un enfant sur trois (Misrach, 1993).

Comme après un divorce, la plupart des enfants vivent avec leur mère, les belles-familles comptent beaucoup plus de beaux-pères que de belles-mères.

Quelques-uns d'entre eux méritent sûrement l'adjectif *méchant.* Une enquête menée aux États-Unis en 1996 chercha à établir si les beaux-parents avaient plus tendance que les parents naturels à être négligents et agressifs, ou à maltraiter et exploiter leurs beaux-enfants (Daly et Wilson, 1996). Le résultat montra qu'il y avait beaucoup plus de maltraitance, d'abus et de sévices sur les enfants de familles recomposées que sur les enfants élevés dans leur famille naturelle. Des données corroborées par d'autres enquêtes menées à travers le monde et dans différentes cultures. Ainsi des études conduites au Canada, en Grande-Bretagne et aux États-Unis indiquent que le risque d'être tué par un beau-père ou une belle-mère est 5 à 100 fois supérieur au risque d'être tué par son parent biologique. Avoir un beau-père ou une belle-mère est devenu l'indice le plus puissant de grave maltraitance sur enfant. Bien entendu, il y a bien d'autres facteurs pouvant expliquer ces données, par exemple la pauvreté, le chômage ou un passé de violences familiales.

Les chercheurs ont établi que la grande majorité des cas de maltraitance et d'homicide mettant en cause des beaux-parents, étaient commis par un homme, ce qui fait que l'on se demande pourquoi on ne parle que de méchante belle-mère...

Mais cela ne prouve pas que les belles-mères constituent une menace moindre : ces chiffres peuvent s'expliquer par le fait qu'il y a moins de belles-mères vivant avec des enfants et que les données étaient trop faibles pour être convenablement interprétées.

On a étudié les relations existant entre les beaux-parents et les beaux-enfants au sein d'une population d'étudiants répartis dans trois familles types : celles avec une belle-mère, celles avec un beau-père et les familles biologiques.

Les jeunes élevés par une belle-mère se plaignaient d'une relation de pauvre qualité, d'un manque de soutien et de nombreux conflits avec leur belle-mère. Mais après avoir comparé leur point de vue avec celui des étudiants élevés par leur mère biologique, on n'a pas relevé plus de conflits familiaux ni moins de cohésion familiale. Conclusion : les jeunes gens relèvent plus de conflits avec une belle-mère mais pas plus de conflits familiaux en général (Pruett *et al.*, 1993).

Les belles-mères sont le bouc émissaire facile dans les familles recomposées. Et ce qui n'arrange rien, c'est que certains aspects de la situation des familles recomposées qui provoquent des tensions, renforcent le stéréotype. Lorsque dans une famille recomposée, des enfants ne réussissent pas, on découvre souvent que leurs problèmes trouvent leur origine à une époque antérieure au remariage de leurs parents et résultent d'un conflit parental précédant le divorce. Toutefois, le cliché et la facilité font que l'on a tendance à en rendre responsable la belle-mère plutôt que les parents biologiques (Furstenberg et Cherlin, 2006). En fait, les belles-mères s'en veulent souvent de la tristesse de leurs beaux-enfants. Si la mère biologique exprime de l'hostilité à l'égard de la nouvelle femme de son mari, les enfants peuvent s'approprier et comprendre son ressentiment. Voyant par ailleurs l'amour que leur père éprouve pour sa nouvelle femme, ils peuvent se trouver confrontés à la difficulté de réconcilier ces forces contraires, ce qui se traduit par des troubles affectifs. De plus, comme un père remarié ressent souvent de la culpabilité à cause de l'échec de sa première union, il se montre parfois trop indulgent envers ses enfants. La belle-mère qui reste en général plus de temps à la maison avec les enfants, est donc celle qui punit, d'où l'image de la cruelle marâtre – alors qu'une mère biologique qui punirait ses enfants de la même manière serait félicitée pour avoir su poser des limites à ses enfants.

Le cliché de la méchante belle-mère a d'autres explications. Il est probable que malgré tous leurs efforts et leurs soins, certaines ne s'investissent pas autant qu'elles le feraient avec leurs propres enfants. Les adultes avec enfants à charge sont moins désirables sur le marché du mariage que des adultes sans enfants. De nombreuses femmes qui jouent le rôle de belle-mère ont moins de chances que les autres d'avoir des enfants ; si c'est le cas, elles peuvent en éprouver un certain ressentiment vis-à-vis de leurs beaux-enfants. Dans d'autres cas, la belle-mère peut se sentir jalouse de la relation de son mari avec sa première épouse et cette attitude négative peut se répercuter sur les enfants, qui en sont, pour elle, le constant et tangible souvenir. Même si la belle-mère ne ressent pas de jalousie, elle peut simplement avoir l'impression qu'une autre femme, la mère de l'enfant, vit à la maison.

Cela dit, l'horizon n'est pas aussi sombre que cela. Les belles-mères ont un job qui peut être difficile, mais la grande majorité d'entre elles l'assument avec succès et éprouvent un vrai sentiment d'accomplissement en élevant la progéniture de leur conjoint. Les enfants peuvent eux aussi en tirer un bénéfice : ils se sentent aimés par leurs deux parents biologiques et ils ressentent l'amour qui unit ces adultes remariés.

80 % des enfants élevés par une belle-mère se transforment en adultes épanouis sans problèmes de comportements d'aucune sorte (Rutter, 1994).

Des chercheurs ont suggéré de mettre ces vieilles histoires de méchantes belles-mères de contes de fées au goût du jour afin de les présenter sous un éclairage plus flatteur. Je suis peut-être vieux jeu mais je pense pour ma part que nous devrions conserver le modèle d'origine. Je ne suis pas sûr que la belle-mère de Cendrillon ait été aussi horrible que cela. Elle savait qu'elle ne pouvait pas lui faire confiance et donc lui avait interdit de sortir après minuit. La gamine est tombée amoureuse du premier blanc-bec avec lequel elle a dansé et est restée dehors alors que c'était interdit, sans se préoccuper de savoir comment elle allait rentrer ! Ce n'est pas idéal, n'est-ce pas ? Dans ce contexte, est-ce que la belle-mère était aussi méchante que cela ? Oh, non ! J'estime qu'elle savait simplement quel genre de fille était vraiment cette Cendrillon…

Les femmes ne savent pas faire un créneau, les hommes ne savent pas faire une valise

Une publicité à la télé montre une femme en train de se garer. Deux ouvriers qui la voient faire, lui disent, goguenards, qu'elle n'arrivera pas à loger son véhicule dans le petit espace juste devant leur propre van. Imperturbable, elle enclenche la marche arrière et parvient, d'une main de maître, à se garer parfaitement. Cette publicité renverse complètement le cliché de la femme incapable de se garer – tout en perpétuant celui de l'ouvrier sexiste. Cela étant, est-ce que le stéréotype de la femme mauvaise conductrice est basé sur des faits concrets ?

Encore une fois, c'est en interrogeant le passé très ancien que nous en découvrirons peut-être la raison. Il y a plusieurs milliers d'années, nos ancêtres qui vivaient de la chasse, ont développé des circuits nerveux correspondant à ce mode de vie. Ces hommes, possédant les capacités à s'orienter dans leur espace naturel, sont les mêmes qui ont été assez forts pour survivre et transmettre leurs gènes aux générations suivantes.

D'après Barbara et Alan Pease, chercheurs australiens, certaines femmes seraient incapables de se garer parallèlement à un trottoir parce qu'il leur manquerait la capacité visuo-spatiale, que l'on appelle aussi intelligence spatiale, nécessaire pour ce genre d'activité (Pease et Pease, 2001).

D'après eux, les échographies du cerveau montrent qu'entre 80 et 85 % des femmes n'ayant pas ces circuits neurologiques, elles ne disposent pas de ces fameuses capacités spatiales qui sont en revanche universelles chez l'homme. Les chercheurs pensent que cela explique les difficultés rencontrées par les femmes dans les activités impliquant l'orientation, l'appréciation de la distance et de la vitesse. Alors que les hommes n'ont aucune difficulté à lire une carte, les femmes ont développé davantage les savoir-faire nécessaires à l'éducation des enfants, et notamment la communication.

Cette théorie est controversée, Alan et Barbara Pease sont souvent accusés de sexisme et nombreux sont ceux qui s'interrogent sur leur *Théorie de la biologie et de la destinée*. À leurs détracteurs, ils répondent que cela ne veut pas dire qu'un sexe est meilleur ou plus fort que l'autre ; ce serait davantage, selon eux, une conséquence de l'évolution : les hommes et les femmes ne seraient pas dotés des mêmes talents. Ce serait l'une des explications possibles de la différence de comportement entre les sexes. Quoi qu'il en soit, la controverse a boosté la vente de leurs livres.

Une étude conduite par Deborah Saucier de l'université de Saskatchewan au Canada (Telegraph.co.uk, 2002) vient soutenir cette thèse.

L'expérience avait pour but de comparer le sens de l'orientation des femmes et des hommes. Les participants devaient se diriger avec une carte et suivre une série d'instructions détaillées. Les hommes ont été plus performants dans la lecture de la carte alors que les femmes, maîtresses dans l'art de communiquer, ont su mieux utiliser les instructions détaillées.

Qu'en est-il alors du cliché qui voudrait que les hommes ne sachent pas faire une valise ?

S'agissant d'une tâche visuo-spatiale, on s'attendrait à ce que les hommes s'en sortent mieux que les femmes. Mais selon le cliché, c'est le contraire. Si l'on en croit les recherches sur le cerveau, les femmes en général excellent dans la vision en deux dimensions alors que les hommes tiennent compte d'une troisième dimension qui est la profondeur.

Si c'est vrai, alors, encore une fois, un homme devrait mieux savoir boucler une valise qu'une femme. Cela dit, reconnaissons que remplir efficacement ce genre de tâche reflète moins une capacité à appréhender l'espace que la bonne volonté et la motivation.

Peut-être que les hommes ont moins envie que les femmes de remplir une valise tout simplement parce qu'ils attachent moins d'importance qu'elles à ce qu'ils vont porter pendant les vacances, et tant pis s'ils ont oublié leur chemise favorite. Connaissant très peu d'hommes qui préparent eux-mêmes leurs bagages, je me demande si nous n'avons pas encouragé ce stéréotype afin de nous éviter une tâche ménagère pénible. Entre nous, je suis persuadé que les parachutistes plient leurs parachutes avec le plus grand soin, parce qu'ils sont suffisamment motivés pour le faire.

Mais revenons-en au cliché qui nous intéresse, celui des femmes qui ne savent pas se garer. Le problème avec cette idée reçue, c'est qu'elle sous-entend qu'elles sont également de mauvaises conductrices.

Quelle est l'origine de ce stéréotype ?

Pareil *à priori* ne vient sûrement pas des statistiques des accidents de la route puisque celles-ci montrent que les femmes sont moins dangereuses et plus prudentes que les hommes. Les jeunes conductrices ont beaucoup moins d'accidents que les jeunes conducteurs – ce qui fait que les compagnies d'assurance leur accordent des bonus. La différence entre les sexes en termes d'accidents de la route est significative pour toutes les tranches d'âge, mais elle est encore plus perceptible dans la tranche des moins de 25 ans ainsi que chez les conducteurs seniors (Maycock *et al.*, 1991).

La première conductrice serait Genevra Mudge, de New York, qui s'installa derrière un volant un beau jour de 1899 (The St Louis Historical Society, 2008).

Depuis, bien des femmes ont suivi ses traces ! À l'origine, la conduite était réservée aux riches et ces conductrices ne représentaient pas une menace à l'ordre établi. À cette époque, du reste, il n'y avait pas de cliché sur la femme au volant. Après la Première Guerre mondiale, les femmes sont devenues plus indépendantes et leur nouveau statut ainsi que la confiance en elles qu'elles manifestaient, ont pu troubler – certains disent même déranger – l'ordre social. Ce cliché négatif devint donc banal et pratique, car, d'après les féministes, c'était un moyen pour les hommes de garder les femmes à leur place (Berger, 1986). Aujourd'hui, les hommes perpétuent ce stéréotype – après tout, lorsqu'un couple monte en voiture, c'est souvent l'homme qui prend le volant. Bien sûr, s'il a l'intention de consommer de l'alcool, il sera ravi de laisser sa femme conduire au retour.

Les statistiques pour le Royaume-Uni montrent qu'en 2002, 88 % des excès de vitesse ont été commis par des hommes.

Si vous demandez à un homme de définir les qualités d'un bon conducteur, il y a de grandes chances pour qu'il réponde en termes de vitesse. Selon lui, un bon conducteur est, par exemple, un pilote de course. Quand on pose la même question à une femme, elle répond en termes de sécurité, en observant la manière dont le conducteur se rend du point A au point B. On a mis au point un questionnaire pour mesurer le nombre d'erreurs de conduite faites par un conducteur. Ces erreurs ont été classées en trois catégories :

• **Fautes légères** : celles qui peuvent causer un problème mais ne mettent pas la vie en danger. Il s'agit par exemple, de passer à l'orange ou de heurter une voiture en se garant.

• **Erreurs** : elles sont potentiellement plus sérieuses et sont un signe typique d'une mauvaise évaluation pouvant être dangereuse pour les autres. C'est, par exemple, ne pas regarder dans le rétroviseur au moment de doubler, ou ne pas voir un signe Stop.

• **Infractions** : ce sont des manquements délibérés aux règles de la sécurité routière. Par exemple, ne pas respecter les limitations de vitesse, doubler par la droite, faire la course, rouler beaucoup trop près de la voiture qui précède ou encore conduire en état d'ivresse.

Sur le plan statistique, les conducteurs qui commettent délibérément des infractions ont plus de risques de commettre des accidents que les auteurs de fautes légères ou d'erreurs de conduite.

Les femmes et les conducteurs les plus âgés sont ceux qui commettent le plus de fautes légères, alors que les conducteurs, en particulier les jeunes, sont ceux qui commettent le plus d'infractions.

Pourquoi prennent-ils délibérément ce genre de risques ? Peut-être parce qu'ils croient qu'ils conduisent mieux que la moyenne, alors que les femmes ont une vision plus réaliste de leurs propres capacités.

Se prendre pour un as du volant, meilleur que la moyenne, traduit une tendance à un optimisme irréaliste, dont la conséquence est une prise de risques qui dépasse largement ses propres capacités, un comportement dangereux pour soi et pour les autres.

En conclusion, même si les femmes réussissent moins bien leur créneau que les hommes, il n'en résultera que quelques bosses sur leur pare-chocs. Et ces petites éraflures superficielles ne sont-elles pas préférables à un grand trou dans le toit, conséquence de plusieurs tonneaux dus à une vitesse excessive ? Est-ce qu'un bon conducteur est quelqu'un d'habile ou quelqu'un qui effectue un trajet sans courir de risque ?

Votre réponse révélera votre façon de conduire mais aussi sans doute si vous êtes une femme ou un homme. N'essayez pas d'imiter les pilotes de course : un bon conducteur est un conducteur prudent, et tant pis pour la perfection du créneau !

Et je suggère à toutes les femmes qui liront ce livre d'encourager l'homme de leur vie à faire lui-même ses bagages. D'après les psys, comme on l'a vu plus haut, les hommes auraient des aptitudes pour remplir ce genre de tâches, autant en profiter !

Mieux, les hommes devraient aussi boucler les valises de leur femme, je suis sûr qu'elles seraient moins lourdes à porter…

Table des matières

Introduction 11
Remerciements 21

Clichés, préjugés et autres idées reçues…
La psychologie des stéréotypes

Le petit teigneux 25
Les huîtres et le 7e ciel 33
Grands pieds donc grand zizi 37
Le chauffeur-chauffard de camionnette blanche 41
Les garçons en bleu, les filles en rose 47
L'aîné est plus intelligent 53
Dis-moi comment tu t'appelles… 57
Le gaucher est créatif 65
L'inconnu est une menace 71
Le vieux cochon 77
Les bibliothécaires sont des vieilles filles coincées et binoclardes 79
La blonde est stupide 85
Les femmes sont émotives 91
Le chien est le meilleur ami de l'homme 97
Les supporters de foot sont des hooligans 105
Les clowns sont drôles 111

Les hommes préfèrent les blondes 115
Recherche jolie femme –
Recherche homme bonne situation 121
Le bon Samaritain 129
Le Français est gourmet, l'Écossais est radin,
l'Allemand est sérieux… 135
Le Nord, c'est sinistre 141
La femme qui a des migraines 147
Un amateur de musique classique est intelligent 151
Les gros sont paresseux 157
Les politiciens sont des menteurs 167
Le génie fou 173
Le vieux schnock 179
La rousse sulfureuse 187
Les hommes sont des obsédés de porno 193
Les gays sont volages 201
Le gardien de prison est sadique 207
Le schizophrène a une double personnalité 213
Ils ne pensent qu'au sexe 219
Belle et mince 223
Les étudiants se la coulent douce 229
Le tombeur et la traînée 237
Se faire des cheveux blancs 245
Futile comme une femme de footballeur 249
Les fous sont dangereux 253
Le sexe faible 259
La méchante belle-mère 265
Les femmes ne savent pas faire un créneau,
les hommes ne savent pas faire une valise 271

GILLES GAY

PRÉFACE DE JEAN-LOUIS FOURNIER

Ce que je croyais quand j'étais petit

« Je croyais que la crotte de pigeon faisait pousser la moustache. »

« Je croyais que l'amour durait toujours . . . »

MARABOUT

OLIVIER CLERC

La grenouille qui ne savait pas qu'elle était cuite

et autres leçons de vie

MARABOUT

BRADLEY GERSTMAN
CHRISTOPHER PIZZO
RICH SELDES

CE QUE VEULENT LES HOMMES

Trois célibataires brisent l'omerta pour nous révéler ce que les hommes ont dans la tête et dans le cœur

MARABOUT

TRACEY COX

BEST-SELLER INTERNATIONAL

HOT SEX

«Direct, sans complexe et parfois très drôle»
Pat Ingram, Rédactrice en chef, Cosmopolitan Australie.
«C'est pas compliqué : je finis ce livre et je le passe illico à ma fille»
She Magazine

MARABOUT

PAUL HEINEY

LES CHATS ONT-ILS UN NOMBRIL ?

Et 244 autres questions-réponses amusantes pour comprendre comment les lois de la SCIENCE s'appliquent dans la vie de tous les jours.

MARABOUT

PAUL HEINEY

POURQUOI LES VACHES NE PEUVENT-ELLES PAS DESCENDRE LES ESCALIERS ?

Et 289 autres questions-réponses amusantes pour comprendre comment les lois de la science s'appliquent dans la vie de tous les jours.

MARABOUT

Photocomposition Nord Compo

Imprimé en Italie par Legos Lavis

Pour le compte des Éditions Marabout.
Dépôt légal : mai 2010
ISBN : 978-2-501-06444-6
4053252/01